D0470102

DÉVELOPPEMENT ET TOURISME AU MAROC

DÉVELOPPEMENT ET TOURISME AU MAROC

sous la direction
de Jean Stafford

Charles-Étienne Bélanger
Bruno Sarrasin

Harmattan Inc.
55, rue St-Jacques
Montréal
CANADA
H2Y 1K9

sous la direction de Jean Stafford
Charles-Étienne Bélanger et Bruno Sarrasin

Développement et tourisme au Maroc

Diffusion Europe, Asie et Afrique :
L'Harmattan
5-7, rue de l'École Polytechnique
75005 Paris
FRANCE
33 (1) 43.54.79.10

Diffusion Amériques :
Harmattan Inc.
55, rue St-Jacques
Montréal
CANADA
H2Y 1K9
1 (514) 286-9048

Saisie : Line Lapierre
Révision : Louis-Raymond Sarrasin
Couverture : Olivier Lasser
Photographie couverture : Dominique Malaterre
Imprimeur : AGMV

ISBN : 2-89489-002-8

Bibliothèque nationale du Québec
Bibliothèque nationale du Canada

1 2 3 4 5 00 99 98 97 96

Cette recherche n'aurait pas été possible sans l'aide financière de l'Agence canadienne de développement international (ACDI), plus spécifiquement du Centre de recherche « Villes et développement » du Groupe interuniversitaire de Montréal (Université du Québec à Montréal, Institut national de recherche scientifique – Urbanisation, Université Mc Gill, Université de Montréal).

VILLES ET DÉVELOPPEMENT
URBANIZATION AND DEVELOPMENT

Groupe interuniversitaire de Montréal
Montreal Interuniversity Group

TABLE DES MATIÈRES

INTRODUCTION

Ce livre traite du développement touristique du Maroc durant les trente dernières années ; il tente de dégager les grandes orientations de ce développement et de tracer les principales perspectives d'avenir pour l'ensemble de l'industrie touristique marocaine. Au plan touristique, la situation du Maroc est exemplaire : sa position géographique et la qualité de ses attraits en font une destination particulièrement intéressante.

Le développement touristique dans les pays en voie de développement est souvent une histoire d'horreur ; dans le cas du Maroc, il s'agit d'un développement bien planifié qui tient compte de la situation particulière du pays. Le Maroc a dû faire face à certains problèmes spécifiques mais, dans l'ensemble, son développement touristique ressemble à celui de nombreux pays du tiers monde.

Dans ce livre, nous étudions la place du Maroc dans le tourisme international. Nous faisons aussi la genèse du tourisme marocain et nous analysons la mise en oeuvre des politiques touristiques à l'intérieur de la politique économique globale. Nous nous sommes intéressés, plus particulièrement, à l'évolution de l'offre et de la demande internationales au Maroc et dans les villes pilotes de Marrakech, Agadir et Ouarzazate (où se concentrent 80 % du tourisme).

L'analyse de l'offre et de la demande est au centre même de toute étude du développement touristique. L'attention portée aux flux touristiques permet de percevoir le phénomène touristique d'une façon essentiellement dynamique. L'évolution de l'offre et de la demande touristiques résume un processus complexe qui réunit un ensemble d'éléments très nombreux qui n'ont pas besoin d'être définis.

L'étude du développement touristique au Maroc repose sur des approches méthodologiques diverses mais complémentaires. Dans les chapitres I à III, l'analyse historique et politique a été privilégiée. Dans les derniers chapitres, nous avons cherché à décrire et à analyser les principales tendances du tourisme au Maroc.

L'étude des tendances s'est faite à partir de séries chronologiques ; celles-ci comprennent les principales fonctions touristiques : l'offre d'hébergement, l'entrée des touristes et les nuitées. Il y a un lien très fort entre l'évolution historique et politique et le développement touristique appréhendé à l'aide de séries temporelles.

Au plan sémantique, les sciences économiques identifient, la plupart du temps, le développement à la croissance. Par exemple, pour Fritz Machlup : « [...] le sens du terme de "développement" n'a pas de frontière précise, lorsqu'on le confronte aux notions de "progrès" indiquant une norme "d'augmentation" visant une quantité ou une dimension, et de “croissance” ayant une résonance biologique ou organique »[1].

Plus simplement, on peut aussi percevoir le développement à travers des tendances chiffrées et comme étant une forme résumée d'un grand nombre de transformations. Concrètement, la tendance à moyen terme et à long terme « [...] représente le mouvement de base de la série ; elle ne peut donc comprendre des sommets et des creux successifs puisqu'elle schématise l'évolution essentielle, fondamentale de la grandeur mesurée »[2]. C'est ce mouvement de base qui servira à analyser le développement touristique au Maroc.

On peut aussi déceler dans l'évolution touristique des éléments relativement stables (sans être de véritables « invariants » du système) ; les phénomènes saisonniers sont ces éléments stables qui scandent la vie de l'industrie touristique. Le développement touristique comprend aussi des fluctuations ; certaines de ces fluctuations sont relativement régulières, par exemple les fluctuations cycliques. D'autres mouvements des séries chronologiques sont irréguliers ; ils représentent les phénomènes aléatoires perceptibles dans l'évolution. Les causes de certains de ces aléas sont connues (catastrophes naturelles, actions politiques ou sociales, etc.), d'autres causes demeurent inconnues même si les phénomènes aléatoires sont identifiés.

Enfin, il est possible de faire des projections, pour certaines des séries temporelles, à court terme, à moyen terme et à long terme. Ces projections ne peuvent servir qu'à formuler des hypothèses sur le développement touristique. Ces hypothèses de développement ne sont que des façons d'aborder l'avenir, de scruter le futur afin d'élaborer certaines pistes de recherche. Ce sont des scénarios de certains avenirs plausibles compte tenu de la situation passée, de la situation présente et des projections effectuées. La construction d'un scénario est donc une approche heuristique plutôt que prévisionnelle au sens strict.

Ce livre s'adresse à tous ceux qui s'intéressent au Maroc et à son développement touristique. Il se veut, à la fois, un outil de référence et une approche « scientifique » du phénomène touristique pris dans sa totalité. Ce livre espère provoquer, au sujet du Maroc et des pays en développement, une réflexion approfondie sur le rôle de la « fonction touristique » et sa place dans le système politique et économique.

---

[1] Fritz MACHLUP (1967), *Essais de sémantique économique*, Éditions Calmann-Lévy, Paris, p. 304.

[2] G. GUÉRIN (1983), *Des séries chronologiques au système statistique canadien*, Gaëtan Morin Éditeur, Montréal, p. 21.

I- TOURISME ET DÉVELOPPEMENT

Dans plusieurs pays, tourisme et développement sont des termes qui sont étroitement reliés ; pour certains, la croissance du secteur touristique est même vue comme une condition du développement économique général. Cette perception des choses donne à l'industrie touristique des objectifs souvent difficiles à atteindre.
Dans cette perspective, le tourisme apparaît comme la solution à tous les problèmes qui affligent les régions peu développées (balance commerciale déficitaire, chômage, etc.). Il est plus juste de dire que le tourisme n'est qu'un élément d'un ensemble global, du développement général. Le développement touristique est rarement un domaine moteur durable de l'économie. Le tourisme ne peut être une panacée, un remède universel à tous les maux ; il est soumis à un grand nombre d'aléas qui conditionnent fortement sa croissance.

1- L'économie internationale aujourd'hui

Depuis le premier choc pétrolier de 1973, l'économie internationale est entrée dans une zone de profondes turbulences. L'affadissement des idéologies, le développement accéléré des technologies ont entraîné des bouleversements dans l'ordre économique mondial. Au-delà des fluctuations cycliques récurrentes, il s'agit d'une crise structurelle qui touche les fondements mêmes du système. Les théories classiques qui tentent d'expliquer les échanges économiques semblent désuètes ; le système monétaire, laborieusement mis en place à la fin de la Deuxième Guerre mondiale, n'est plus très efficace. Ce qui reste c'est une « économie monde » dont on trace encore mal les contours ; une économie mondiale encore en formation qui, à la fois, inquiète et stimule et qui est, malgré tout, l'avenir de tous.

Les théories économiques de l'échange international

Les « mercantilistes » sont les premiers, au début du XVIe siècle, à s'intéresser aux échanges économiques entre pays. Pour cette école de pensée, l'économie nationale devait exporter au maximum et importer le moins possible de biens. L'objectif principal était de thésauriser, c'est-à-dire d'accumuler les biens précieux (or et argent) afin de financer les dépenses de l'État et de financer les guerres. Il y avait donc une unité de vue entre le système marchand et la royauté absolue. Dans cette perspective, l'État devait exercer un contrôle sévère du commerce extérieur en limitant la concurrence des autres pays en favorisant l'exportation.

Les économistes « classiques » (1750-1850) étaient plutôt favorables au libre échange. Pour Adam Smith (1723-1790), la liberté du commerce permettait à chacun des pays de produire des biens pour lesquels il disposait d'un avantage absolu. Un pays pourrait exporter des biens qu'il produit facilement, à peu de frais et importer des biens difficiles et coûteux à produire localement. On assisterait donc à une division internationale de la production et à une augmentation notable de la richesse mondiale.
David Ricardo (1772-1823) a démontré que même si le pays A détient un avantage absolu par rapport au pays B pour certains produits, ils ont tous les deux avantage à effectuer des échanges. Ricardo a énoncé la loi de l'avantage comparatif ; selon cette loi, le pays le plus désavantagé doit produire des biens dans le secteur économique où sa situation est la meilleure par rapport aux autres pays et exporter ces biens. Les autres pays pourraient, sans doute, produire ces biens mais à des coûts plus élevés. En d'autres termes, sans avoir des avantages absolus, tout pays dispose de certains avantages relatifs à utiliser dans ses échanges avec l'extérieur.
Ainsi, selon les périodes historiques et les conjonctures économiques, les nations ont adopté soit des mesures protectionnistes, soit une forme ou une autre de libéralisme dans les échanges économiques avec d'autres nations. L'analyse néo-classique en économie va élaborer une théorie des échanges qui tiennent compte des différents facteurs de production. Cette théorie élaborée par Eli Hecksher et Bertil Ohlin dans les années 1930 explique le commerce entre deux pays par les différences dans les coûts des facteurs de production des deux pays. Chaque pays aura tendance à exporter les biens dont la production demande des ressources abondantes et bon marché (ressources qu'il possède) et à importer les biens dont la production exige des ressources rares et coûteuses. À long terme, cette division intensive du travail devrait amener une certaine homogénéisation des prix des facteurs de production utilisés (selon le fameux théorème énoncé par Paul Samuelson en 1948).
Les approches classiques et néo-classiques des échanges internationaux ont tendance à sous-estimer l'importance de la demande comme facteur d'explication des échanges. Dans les années 1960-1970, des économistes (S.B. Linder, I.B. Kravis et B. Lassudrie-Duchêne) tiennent compte, à la fois, de l'offre et de la demande dans l'analyse des échanges. Selon eux, un produit est exporté seulement s'il a connu, au préalable, une demande intérieure assez forte ; la demande intérieure permet de roder et de raffiner le produit et le préparer à une exportation possible. Pour ces auteurs, la force des relations économiques entre deux pays dépendra des similitudes dans leurs structures de consommation ; plus la ressemblance des demandes sera forte et plus intense seront les relations commerciales entre les deux pays.

Les approches néo-classiques des échanges internationaux ne constituent qu'un vague cadre d'analyse pour l'étude des échanges internationaux. Elles possèdent les qualités et les défauts propres aux théories néo-classiques utilisées pour l'étude d'une économie nationale. Les traits principaux de ces approches sont :

- la simplicité des analyses ;
- un haut niveau d'abstraction ;
- l'absence d'obstacles institutionnels et sociologiques ;
- l'hypothèse de rationalité ;
- la fluidité des facteurs de production et des biens.

Les aspects négatifs de la division internationale du travail et les profondes inégalités dans les rythmes de croissance entre pays exigent de nouvelles analyses. Celles-ci (que nous verrons plus loin) tiendront compte de « l'inégal développement » entre les nations.

Les aspects monétaires et financiers des échanges internationaux

Les échanges internationaux se mesurent en fonction de la balance des paiements de chacun des pays impliqués dans les transactions. La balance des paiements va comptabiliser les biens et services vendus et ceux qui sont achetés à l'extérieur et établir le solde (positif ou négatif). Le solde des échanges extérieurs est un bon indice de la valeur globale de l'économie d'un pays ; il déterminera la force de sa monnaie qui s'exprimera dans son taux de change. Si le solde est positif, pour une période de temps, le pays connaîtra une certaine prospérité ; à l'intérieur et à l'extérieur des frontières, il sera plus facile de vendre et d'acheter. Si le solde est négatif, il faudra utiliser des devises en réserve ou emprunter pour combler le déficit commercial ; à moyen terme, si le déficit se maintient, la monnaie nationale sera dépréciée et son taux de change sera plus bas que celui des autres monnaies.

Les différents paiements entre pays doivent se faire dans un cadre monétaire quelconque. Avant la Première Guerre mondiale (1914-1918), l'unité monétaire de chacun des pays était définie par une certaine quantité d'or ; chacune des monnaies était, en théorie du moins, convertible en or par la banque centrale du pays émetteur de ces billets de banque. Avec le développement des échanges internationaux, ce système est devenu lourd et difficile à faire fonctionner. La Conférence de Gênes en 1922 décida de l'abandon de l'étalon-or et de l'établissement du système de l'étalon de change-or. Dans ce système, la monnaie d'un pays est évaluée en fonction d'une ou deux monnaies fortes (le dollar, la livre) qui servent de pivots à l'ensemble ; ces deux monnaies fortes sont elles-mêmes convertibles en or.

La crise de 1929 et la Deuxième Guerre mondiale ont provoqué une nouvelle réforme du système monétaire international. La situation de l'économie mondiale et la complexité des échanges ont amené un grand nombre de pays à élaborer de nouvelles structures et de nouvelles règles du jeu. En juillet 1944 à Bretton Woods, une petite station de montagne du New-Hampshire, se réunissent les représentants de 44 pays pour définir un nouveau système monétaire permettant une plus grande stabilité des monnaies. Les débats de Bretton Woods montrent une certaine volonté des États d'assurer cette stabilité par un pouvoir plus grand délégué aux organismes internationaux.

Le système mis en place à Bretton Woods repose sur le dollar américain qui devient le point de référence des autres monnaies ; la valeur de chacune des monnaies est définie à partir du dollar. Le « roi vert » est lui-même convertible en or (au taux fixe de 35 dollars l'once d'or). Le dollar américain devient donc « la » monnaie internationale. Les pays signataires des ententes de Bretton Woods doivent donc s'engager à assurer la convertibilité de leur monnaie en surveillant leur balance des paiements et en défendant la parité de leur monnaie sur le marché des changes. Dans la foulée des accords de Bretton Woods, les États membres ont créé une série d'institutions qui serviront de cadre au système monétaire.

Le Fonds monétaire international (FMI) commença à fonctionner le 1er mars 1947 ; son principal rôle est d'aider les pays à soutenir leur propre monnaie. Dans le cas d'un solde négatif prolongé de son commerce extérieur, un pays peut demander au FMI des prêts pour redresser son économie. Dans les années 1970, le FMI a créé les droits de tirage spéciaux (DTS) qui constituent une sorte de monnaie internationale ; la valeur d'un DTS est définie à partir de 5 monnaies fortes : le dollar américain, le deutschmark, la livre sterling, le franc français et le yen japonais. Le FMI dispose de plusieurs mécanismes de financement selon la gravité de la situation économique du pays demandeur. Si l'aide apportée est importante, elle sera assortie à des exigences au niveau des politiques économiques (coupures dans les dépenses, assainissement du secteur public, restrictions budgétaires, etc.).

Un autre organisme, la Banque mondiale (créée en 1945), est chargée principalement de l'aide au tiers monde ; elle comprend : la Banque internationale pour la reconstruction et le développement (BIRD), la Société financière internationale (SFI) et l'Association internationale pour le développement (AID). Le rôle de la Banque mondiale est de financer de nouveaux projets de développement ; elle se distingue ainsi du FMI. La Banque mondiale emprunte sur les marchés financiers européens et américains et grâce à ces emprunts participe au financement de projets de développement. La Société financière internationale s'intéresse plus particulièrement à l'aide au secteur privé des pays en développement. L'Association internationale pour le développement a pour objectif d'apporter un soutien financier aux

pays les plus pauvres ; elle consent des prêts à des taux faibles ou nuls (selon les pays).
Les échanges internationaux ont fait l'objet d'un traité, le General Agreement on Tariffs and Trade (GATT), dont le premier accord a été signé en 1947[3]. L'objectif de ce traité est de favoriser le libre-échange économique et de réduire les obstacles au commerce international. Le GATT apparaît comme une pièce essentielle du système monétaire international actuel car en favorisant la libre circulation des biens et des services, il assure l'échange des capitaux et la convertibilité des monnaies. Malgré l'idéologie, un peu simpliste, du libre-échange, le GATT demeure surtout un lieu de discussion sur les échanges internationaux ; il favorise la compréhension (et le règlement) des problèmes commerciaux des uns et des autres.
À tous les dix ou quinze ans, le système monétaire international connaît des crises et des soubresauts ; la dévaluation graduelle du dollar américain entre les années 1960 et 1975 a amené le flottement de l'ensemble des monnaies. Nous sommes donc à l'ère du taux de change flottant ; les accords de la Jamaïque en 1976 ont consacré ce nouveau phénomène et le FMI est chargé de s'assurer du fonctionnement du système.

Mondialisation et exclusion

L'internationalisation des échanges est une tendance forte depuis 1945 ; lentement, les grands blocs idéologiques se sont effondrés permettant des contacts soutenus entre les nations. La mondialisation est aussi le résultat des différents accords internationaux établis et re-négociés depuis 1944 ; les structures et les politiques mises en place ont favorisé la libéralisation constante des échanges. C'est dans la zone de l'Organisation de coopération et de développement économique (OCDE) que ce phénomène de globalisation est le plus apparent ; le commerce entre les pays de l'OCDE regroupe près de 70 % des échanges internationaux. La mondialisation des économies est surtout l'affaire des pays avancés. Le développement rapide des « nouveaux pays industrialisés » n'a pas réellement mis en cause cette suprématie des pays occidentaux (et du Japon).
La mondialisation s'exprime par la circulation libre des entreprises et des capitaux, par la création d'une « économie monde » qui tend à transcender, de plus en plus, les économies nationales. Ce qui est réellement nouveau dans ce phénomène, c'est l'acceptation et même l'encouragement des différents gouvernements. Cette ouverture n'a pas que des effets bénéfiques ; on assiste à une uniformisation vers le bas des conditions de travail et des modes de vie. Les politiques

---

[3] Depuis janvier 1995, cet accord a été remplacé par l'Organisation mondiale du commerce (OMC).

macro-économiques des États sont de plus en plus dépendantes des mouvements internationaux de capitaux. Le principal risque, à moyen terme, est le démantèlement des systèmes de protection sociale ; déjà, dans les principaux pays occidentaux, on assiste à d'importantes coupures dans les programmes sociaux.
L'internationalisation des économies exerce une pression constante sur les finances publiques et sur l'organisation de l'ensemble de la vie économique. La mondialisation des échanges entraîne une perte d'efficacité des politiques économiques, une perte importante d'autonomie et de souveraineté dans les sociétés occidentales. Progressivement, les États deviennent incapables de gérer correctement les problèmes économiques et sociaux qui les assaillent. Une énorme masse de capitaux spéculatifs exerce, sur l'ensemble de la planète, un pouvoir de coercition sur les économies locales. Le marché financier international semble un pouvoir aveugle et anonyme n'obéissant qu'aux lois du profit en dehors des contrôles légaux des États. C'est une situation nouvelle dans l'histoire économique du monde.
Si l'internationalisation des échanges a amené de fortes perturbations dans les pays industrialisés, dans les pays en voie de développement (PVD), elle a provoqué de véritables séismes. L'accélération de la spécialisation internationale a eu, pour les pays non industrialisés, des effets néfastes sur leur économie et un endettement massif. Les programmes d'ajustement structurel du FMI ont pour principaux résultats, dans certains pays, d'accroître les problèmes sociaux et la misère. C'est une situation où le remède proposé risque de tuer le malade. La libéralisation des marchés, dans les pays de l'Est, ne fera qu'étendre à d'autres régions les difficultés liées à la mondialisation des échanges. La plupart des pays non occidentaux semblent incapables de supporter le choc économique du libre-échange.

L'économie mondiale de l'an 2000

La mondialisation est le produit d'une combinaison de plusieurs facteurs allant des technologies de communication aux innovations financières et commerciales. Elle permet une forte concentration des capitaux qui circulent dans un flux continu créant, à la fois, l'interdépendance et la dominance, les échanges et les profondes rivalités : phénomène vaste et constant de structuration et de déstructuration. Dans ces jeux multiples, la dominance n'est jamais acquise, ni totale, les grands joueurs doivent faire preuve de souplesse et d'une vision stratégique d'ensemble, être toujours sur leurs gardes et ne jamais se laisser distancer par les autres.
Dans cette perspective, l'économie mondiale fonctionne comme un système hiérarchique avançant à des rythmes différents et désarticulés. Cette hiérarchie est assez facile à établir : à un premier niveau, il y a les pays fortement industrialisés (en compétition

perpétuelle) qui obéissent à un classement assez strict avec en tête le Japon suivi de l'Allemagne, des États-Unis et des autres pays de l'OCDE. Au deuxième niveau, nous retrouvons le groupe fragile des pays nouvellement industrialisés et au troisième niveau toute la gamme diversifiée des pays en voie de développement. Si la hiérarchie est malgré tout relativement stricte, les rythmes d'évolution des économies sont très disparates et subissent de fortes fluctuations. Les dix prochaines années verront la consolidation de la fameuse triade : la formation de zones économiques puissantes et fortement reliées entre elles. Cette triade est formée de la Communauté économique européenne (CEE) et à moyen terme des pays de l'Est, d'un ensemble économique Asie-Pacifique autour du Japon comme maître d'orchestre et de la zone économique des États-Unis (avec le Canada et le Mexique et une partie de l'Amérique latine). Cette triade s'appuie sur des monnaies fortes : le mark (ou l'Euro à long terme), le yen et le dollar américain. L'économie internationale gravitera autour de ces trois cercles et les autres régions du monde devront se définir à partir d'eux. Les règles explicites et implicites de l'économie mondiale, les processus de concertation et de régulation des échanges seront élaborés par ces centres dominants.

2- Développement et sous-développement

Le développement et le sous-développement sont aujourd'hui des termes qui sont évoqués dans tellement de circonstances qu'il est difficile de saisir avec précision l'ampleur de leur définition. Préciser la démarche qui semble à l'origine de la notion de développement, l'évolution de sa perception depuis la Seconde Guerre mondiale, ainsi que les différentes stratégies économiques qui en découlent s'impose donc. Chose certaine, les discours actuels sur le développement font généralement référence à un ensemble géo-politique que l'on nomme tiers monde et qu'il convient de préciser dans un premier temps.

Le tiers monde

Apparu pour la première fois le 15 août 1952 dans *L'Observateur* sous la plume d'Alfred Sauvy, le mot tiers monde évoquait alors l'enjeu que représentaient les pays sous-développés pour les grandes puissances. L'auteur avait transposé la notion de tiers-état, qui prévalait dans la structure sociale française d'avant la révolution, pour exprimer l'exploitation et le mépris que subissaient certains pays. Diffusée en France d'abord puis en Afrique du Nord, la notion de tiers monde a fait le tour de la planète pour devenir le terme générique utilisé aujourd'hui.

Soumise à la tentation de regrouper tous les pays considérés comme sous-développés dans un même ensemble géo-politique, la notion de tiers monde est nécessairement imparfaite et certains politiciens des pays concernés en sont venus à considérer le tiers monde comme « une expression mal utilisée, dont le sens en est venu à représenter tout et rien »[4]. En effet, même s'il est possible de dégager certaines caractéristiques communes à la majorité de ces pays[5], on admet aujourd'hui que le tiers monde est pluriel.
Comment pourrait-on en effet comparer l'Inde au Bénin, ou le Brésil à la Somalie. Il est vrai que plusieurs pays considérés comme faisant partie du tiers monde ont exprimé, au lendemain de la Seconde Guerre mondiale, une volonté politique commune qui visait principalement à se définir une place équitable dans le commerce et la politique internationale, en plus d'affirmer l'intention d'arriver à une voie originale de développement[6]. Mais c'est principalement avec la première conférence des Nations Unies pour le commerce et le développement (CNUCED) tenue en 1964 à Genève[7], que les pays du tiers monde crée un forum leur permettant de s'exprimer en commun sur les questions de commerce, et de se tailler une place au sein des organisations internationales.
Cette conférence, qui se réunit tous les quatre ans, relève directement de l'Assemblée générale des Nations Unies. Depuis sa création, la CNUCED concrétise les efforts du tiers monde sur trois principaux éléments. D'abord, institutionnaliser les relations Nord-Sud et pouvoir répondre au « Club des riches » représenté par la création de l'OCDE en 1961. Ensuite, établir un nouvel ordre économique international qui s'appuierait sur de nouvelles institutions et une nouvelle division du travail. Enfin, énoncer de nouvelles règles en

---

[4] K. NKRUMAH (1984), cité dans Ronald H. Chilcote, *Theories of Development and Under-Development*, Westview Press, Boulder, p. 2. (Traduction libre)

[5] On peut classifier ces caractéristiques selon six grandes catégories: un faible niveau de vie; un faible niveau de productivité; un haut taux de croissance de la population et du fardeau de la dépendance; un taux élevé et croissant de chômage et de sous-emploi; une forte dépendance quant à l'exportation de produits agricoles et autres produits primaires; une dominance, une dépendance et une vulnérabilité au niveau des relations internationales. Tiré de Michael P. TODARO (1989), *Economic Development in the Third World*, Longman, New York, p. 27. (Traduction libre)

[6] Au moment de l'élaboration de la charte de la Havane, en 1948, qui visait à réconcilier l'État et le marché, les pays riches et les pays pauvres et qui n'a jamais été signée par suite du refus du Congrès américain de la ratifier; au moment aussi où se tenait la Conférence économique pour l'Amérique latine (CEPAL), en 1948, qui relevait l'impasse du système économique international par lequel le développement des pays de l'Amérique latine se trouvait compromis. Voir à ce sujet Philippe BRAILLARD et Mohammad-Reza DJALILI (1984), *Tiers monde et relations internationales*, Masson, Fribourg, pp. 173-185.

[7] Et avec le développement parallèle du Groupe des 77.

matière de commerce, basées sur une intégration des pays du tiers monde au commerce international à travers une « discrimination positive » , un accès aux ressources financières et une stabilisation du cours des matières premières.
Ces efforts auront permis aux pays du tiers monde d'obtenir un statut spécial reconnu dans la partie IV du GATT en 1966, d'élaborer le système généralisé des préférences[8] en 1971-1972, signé par la CEE en 1975 et par les États-Unis en 1978, et de faire adopter à la CNUCED de Nairobi en 1976 le programme intégré pour les produits de base[9], entériné en 1980. Tous ces efforts qui continuent encore aujourd'hui dans le but d'obtenir un statut particulier ont permis d'entretenir l'image d'une certaine solidarité et d'une homogénéité des pays du tiers monde. Mais cela ne semble être qu'une illusion. Tous ces pays ont une histoire, une culture, une économie et une situation géopolitique fort différentes rendant les comparaisons et les regroupements difficiles.

La notion de développement

Il est reconnu que tous les pays du tiers monde souffrent d'un retard économique à des degrés divers, et c'est principalement sur le rattrapage de ce retard que la notion de développement s'est forgée dans les années 1950 et 1960. Si le développement existe (comme possibilité de rattrapage), il est basé sur l'existence parallèle du sous-développement (qui concrétise le retard, le décalage). Et ce décalage se fait par rapport à un « modèle dominant » (occidental) qui s'appuie sur la puissance économique obtenue par le progrès technologique et le dynamisme de la concurrence, et sur un système de valeurs qui met de l'avant l'individualisme et la démocratie. On peut dire que le sous-développement est un phénomène historique récent qui émerge en quelque sorte d'un choc de cultures, une comparaison entre une forme de civilisation dominante (pays du *Centre*) et d'autres civilisations (pays de la *Périphérie*) qui doivent s'adapter au modèle si elles veulent s'intégrer au système économique international.

---

[8] Système par lequel un pays industrialisé accorde une préférence commerciale à un pays en développement pour une liste de produits. Les négociations se font sur une base bilatérale et pour un nombre limité de produits.

[9] Ce programme avait pour but d'orienter les exportations des pays du tiers monde sur d'autres produits que les produits de base et de stabiliser le marché des matières premières par la création d'un fonds de stabilisation. Les termes de l'échange vont se détériorer à un point tel dans les années 1980 que le fonds ne pourra stabiliser les prix et va se désagréger de lui-même.

L'évolution économique

Depuis le début du siècle, le concept de développement fut envisagé à partir de trois principaux thèmes. Il a d'abord été question de l'évolution économique (introduite par Joseph Schumpeter) qui identifie les économies capitalistes comme non-stationnaires, mais faisant partie d'un mécanisme de transformation de ses structures. Ce mécanisme de transformation est à la base des innovations technologiques et implique des changements radicaux dans l'économie. Cette façon de percevoir le développement préparait déjà le terrain à plusieurs théories des années 1960 s'inscrivant dans la lignée du « Big Push » dont nous reparlerons.

La croissance économique et son opposition

À partir des années 1950, on aborde la notion de croissance économique basée sur l'augmentation, pendant une certaine période de temps, de la quantité de biens et de services que produit une économie. On fait alors presque exclusivement référence à un phénomène quantitatif, qui s'appuie sur le produit intérieur brut (PIB) pour mesurer la croissance d'une économie. Pour Arthur W. Lewis, la croissance économique d'un pays est possible lorsque la production augmente plus vite que la population. C'est ce que l'auteur appelle le gain net de la croissance qu'on peut obtenir par l'épargne, l'augmentation du capital industriel et l'accès aux technologies[10].

Si la croissance économique se traduit par une augmentation de la production, rendue possible par un accroissement de l'épargne et des investissements, elle passe aussi par un accès essentiel aux nouvelles technologies pour entretenir le développement, d'où la nécessité pour les pays du tiers monde de s'ouvrir sur l'extérieur. Cette façon d'appréhender le développement s'inscrit dans les théories et modèles de changements structurels, associés à une croissance économique rapide et généralisée qui ne tient pas compte de l'influence que peuvent avoir les éléments extérieurs sur l'économie nationale, en favorisant le développement grâce uniquement à des changements dans les structures économiques domestiques[11].

Mais voilà que les pays du tiers monde évoluent dans un système international qu'ils ne contrôlent pas. Des auteurs tels que Raùl Prebish[12] et Hans W. Signer ont quant à eux lié le sous-développement aux influences externes, notamment celles des

---

[10] Voir Arthur W. LEWIS (1955), *The Theory of Economic Growth*, Irwin, Homewood, ill.

[11] Voir à ce sujet Michael P. TODARO, *op. cit.*, pp. 68-78.

[12] Premier secrétaire de la CNUCED.

marchés internationaux[13]. Pour ces économistes, le sous-développement serait en quelque sorte un produit du développement (comme moyen d'entretenir la dépendance) et du colonialisme comme origine de l'échange inégal[14]. Ce que M. Todaro nomme *la révolution contre la dépendance internationale* concrétise en somme une réaction face au désenchantement croissant que suscitaient les modèles basés sur la croissance économique.
Les causes du sous-développement sont alors perçues de l'extérieur, en observant notamment l'inégalité des relations et des échanges entre les pays industrialisés et les pays du tiers monde. Dans ces conditions, il est juste d'affirmer que « [...] la coexistence de nations riches et de nations pauvres dans un système international dominé par de telles inégalités dans les relations entre le centre et la périphérie rend les tentatives des pays pauvres à devenir auto-suffisants et indépendants dans leurs efforts de développement, difficiles, voire impossibles »[15]. Cette façon de considérer les causes du sous-développement a favorisé l'isolement des économies naissantes des influences externes par un recours au protectionnisme qui s'est traduit par des politiques d'industrialisation par substitution aux importations (ISI) pendant les années 1960 et les années 1970.

Le développement économique

S'il est vrai que le développement d'un pays est difficilement dissociable de sa croissance économique, nous savons aujourd'hui qu'il ne s'y limite pas. On ne parle donc plus strictement de croissance économique, mais plutôt de développement économique. Celui-ci suppose, dans l'esprit actuel de la Banque mondiale, un relèvement durable du niveau de vie mesuré par le niveau de consommation, le niveau d'instruction, l'état de santé de la population et le degré de protection de l'environnement. La qualité de l'intervention devient donc aussi importante que son ampleur. Et vu autrement que comme un phénomène strictement quantitatif, le développement signifie que le progrès économique se complète par un progrès social se traduisant notamment par une hausse de

---

[13] Voir Raùl PREBISH (1950), *The Economic Development of Latin America and its Principal Problems*, United Nations, New York; Hans W. SINGER (1950), « The Redistribution of Gains Between Investing and Borrowing Countries », *American Economic Review. Papers and Proceedings*, vol. 40, May, pp. 473-785.
[14] Thèse partagée sous diverses formes par Arghiri EMMANUEL (1969), voir *L'échange inégal. Essai sur les antagonismes dans les rapports économiques internationaux*, F. Maspéro, Paris; et Samir AMIN (1970), voir *L'accumulation à l'échelle mondiale: critique de la théorie du sous-développement*, Institut français d'Afrique noire, Dakar; (1971) *Le développement inégal*, Éditions de Minuit, Paris.
[15] Michael P. TODARO, *op. cit.*, p. 79. (Traduction libre)

l'espérance de vie, une baisse du taux de mortalité infantile et une augmentation du niveau de scolarité de la population.

Les causes possibles du sous-développement : sortir du cercle vicieux

L'analyse classique du sous-développement repose sur deux idées principales. La première suppose que les pays sous-développés évoluent à partir d'une économie traditionnelle qui ne parvient pas à briser le cercle vicieux du sous-développement.
Ragnar Nurkse, Elias A. Gannagé et François Perroux se sont concentrés sur le problème d'accumulation de capital (épargne) et sur la faiblesse de la consommation pour définir un « cercle vicieux de la pauvreté »[16]. On note en effet que si les revenus sont généralement faibles dans les pays sous-développés, le niveau de vie en sera affecté négativement. Cette situation engendre une faible incitation à l'épargne, qui se traduit par un faible taux d'investissement entretenant ainsi une faible productivité, principale cause de la faiblesse des revenus.
S'il est de ce fait nécessaire pour les économies sous-développées de relever le niveau de l'épargne, ces pays se trouvent devant la double impasse d'être difficilement en mesure de dégager de l'épargne et de l'investissement à partir de leurs propres ressources. Il est aussi possible d'envisager le sous-développement à partir d'un cercle vicieux de la consommation. Celui-ci suppose que la faiblesse des revenus dans les pays du tiers monde génère une faible consommation. Celle-ci entretient un marché atrophié qui n'incite pas à investir. Or, comme nous l'avons déjà souligné, un faible taux d'investissement entretient une faible productivité, principale cause de la faiblesse des revenus. Il sera donc nécessaire, selon ces auteurs, de rompre le cercle vicieux pour créer un développement auto-suffisant.
Cette façon de percevoir le développement obtiendra l'aval de plusieurs économistes des années 1950 et 1960 tels que Arthur W. Lewis, Hollis B. Chenery et Albert O. Hirschman, et se traduira par des stratégies s'inscrivant dans la lignée du « Big Push » de Paul Rosenstein-Rodan[17]. Ces modèles de développement sont nés à

---

[16] Voir Elias A. GANNAGÉ et François PERROUX (1962), *Économie du développement*, Presses universitaires de France, Paris; Ragnar NURKSE (1967), *Problems of Capital Formation in Underdeveloped Countries and Patterns of Trade and Development*, New York, Oxford University Press.

[17] Voir à ce sujet Hollis B. CHENERY (1960), « Patterns of Industrial Growth », *American Economic Review*, vol. 50, September, pp. 624-654; Paul ROSENSTEIN-RODAN (1961), « Notes on the Theory of the Big Push », *Economic Development for Latin America*, H.S. Ellis et H.C. Wallich (dir.), St.

l'époque où le but visé consistait en l'augmentation de la croissance économique, en considérant des changements dans la structure de l'économie nationale. En effet, pour sortir du cercle vicieux et du marasme économique, il devenait nécessaire d'appliquer des efforts colossaux encouragés par une forte intervention de l'État.
Cette intervention se situe notamment aux niveaux des investissements et de l'achat d'équipement à travers la création d'entreprises publiques et l'industrialisation des secteurs porteurs (métallurgie, pétrochimie). Ces efforts passent aussi par une amélioration de la production agricole qui suppose une réforme de ce secteur. La Banque mondiale (1991) souligne que la large place accordée à l'État à cette époque était due au succès de la vision keynésienne de l'intervention du gouvernement, responsable de la reprise suivant la crise économique de 1929.

Le développement par étapes

La seconde idée d'importance que l'on peut retirer de l'analyse classique du sous-développement s'inscrit dans ce qu'on appelle *les modèles de croissance linéaire par étapes*, concrétisé par la « croissance naturelle soutenue » de Walt W. Rostow. Cet économiste soutient que si les pays industrialisés sont passés par certaines étapes pour atteindre leur niveau de progrès, les pays sous-développés doivent en faire de même. Dans sa théorie sur la croissance économique, Rostow propose cinq étapes marquant la transition du sous-développement au développement d'une société. Ces étapes successives - société traditionnelle, pré-conditions au décollage, décollage, maturité et stade final de la consommation de masse - constituent une vision du développement qui justifiait encore une fois la croyance voulant que les pays du tiers monde aient à rattraper le retard qu'ils accusent par rapport aux pays développés[18].
Dans ces conditions, la société doit se défaire de ses structures traditionnelles, où elle n'évolue pas et ne fait que se reproduire sur elle-même, en relevant le taux d'investissement et en exploitant davantage les ressources naturelles du pays. Ces efforts s'inscrivent dans l'atteinte des pré-conditions au décollage. À cette étape, on doit prévoir des changements brutaux dans la croissance économique, mais aussi dans les institutions et dans les attitudes de la société. Mais c'est le passage entre les étapes de pré-conditions au décollage et de décollage qui semble le plus crucial pour les pays du tiers monde.

Martin's Press, New York; et Albert O. HIRSCHMAN (1968), *Stratégie du développement économique*, Éditions Ouvrières, Paris.

[18] Voir Walt W. ROSTOW (1962), *Les étapes de la croissance économique. Un manifeste non communiste*, Éditions du Seuil, Paris.

Pour amorcer définitivement la croissance, Rostow soutient que le taux d'investissement doit passer de 5 % à 10 %, qu'il faut développer l'effet d'entraînement des industries et qu'il est essentiel de mettre en place un appareil institutionnel qui garantisse la recherche, l'investissement et la croissance. Les deux dernières étapes étant de consolider et de développer les acquis, on comprend que la problématique des pays du tiers monde reste à savoir comment générer l'investissement nécessaire à soutenir leur croissance et que si l'industrialisation semble nécessaire pour le développement d'une économie, les moyens pour y arriver restent incertains. C'est à partir de ces diverses théories mises de l'avant pour réduire un écart économique, que les pays sous-développés sont devenus en quelque sorte les pays en voie de développement (PVD), évoquant ainsi les moyens possibles de rattraper le retard.

Le néoclassicisme, le libre marché et la contre-révolution

Les théories et les stratégies évoquées précédemment sont apparues et ont été principalement véhiculées dans les années 1950 et 1960, dans un contexte économique international généralement favorable et marqué par une croissance substantielle. Mais les années 1970, secouées par deux chocs pétroliers et par un ralentissement de la croissance économique issue de la fin de la Seconde Guerre mondiale, ont mené à un repositionnement face aux moyens efficaces d'amorcer et de soutenir le développement. En effet, les conjonctures économiques marquant la fin des années 1970 et caractérisées dans les pays industrialisés par un fort taux de chômage et d'inflation, et dans les PVD par un taux d'endettement élevé et une détérioration du niveau de vie, ont mené à une remise en cause des stratégies de développement évoquées plus tôt.
Il faut de plus ajouter que l'arrivée au pouvoir dans les années 1980 de gouvernements conservateurs dans plusieurs pays occidentaux, tels les États-Unis, le Canada, le Royaume-Uni et l'Allemagne de l'Ouest de l'époque, a favorisé l'émergence d'une « contre-révolution »[19] économique basée sur la vision néo-classique de libre marché. Cette contre-révolution s'est traduite dans les pays industrialisés par la privatisation d'entreprises publiques et dans les PVD par un appel au désengagement de l'État au niveau de la propriété, de la planification et de la réglementation des activités économiques dans le but de stimuler l'efficacité et la croissance. La philosophie actuelle de la Banque mondiale s'inscrit dans cette perspective, considérant « [...] un gouvernement efficace comme une

[19] Par opposition à la révolution sur la dépendance internationale de la fin des années 1960 et du début des années 1970. Voir Michael P. TODARO, *op. cit.*, pp. 82-84.

ressource rare, à utiliser de façon modérée et seulement lorsque cela s'avère nécessaire »[20].
Dès la fin des années 1970, l'OCDE exprimait fort bien la nouvelle tendance adoptée par ses pays membres sur la façon d'envisager le développement[21]. Considérant l'influence majoritaire que possèdent les pays industrialisés sur les votes dans les assemblées des deux plus importantes institutions financières internationales (FMI et Banque mondiale) et considérant aussi l'érosion simultanée d'organisations porte-parole des pays du tiers monde comme la CNUCED, les pays industrialisés possèdent tous les moyens d'imposer leurs vues néo-conservatrices aux PVD.
Le principal argument de la contre-révolution néoclassique soutient que le sous-développement n'est pas issu du comportement prédateur des firmes multinationales, des pays industrialisés et des institutions internationales qu'ils contrôlent, mais provient plutôt de la lourdeur de l'appareil d'État, de la corruption institutionnalisée, d'une mauvaise allocation des ressources et d'une politique monétaire inadéquate. On affirme de plus la volonté de maintenir les grands équilibres macro-économiques qui entretiennent la croissance « soutenable » par rapport aux situations « intenables » caractérisées par l'endettement, l'inflation et le déficit extérieur[22].
Les programmes d'ajustement structurel visent donc à rendre les économies plus flexibles et à favoriser la concurrence, notamment par la mise au rancart du protectionnisme et des politiques économiques « défensives » visant à protéger les industries en développement. On revient en quelque sorte à la *main invisible* d'Adam Smith dans un contexte où les forces du marché et les prix guident l'allocation des ressources et stimulent le développement économique.
Ainsi, toutes aussi différentes quelles puissent être, les diverses théories sur les causes du sous-développement et les moyens à mettre de l'avant pour développer une économie passent par une ligne directrice qui suppose une corrélation entre développement et industrialisation. C'est dans cette double perspective que s'insère le rôle du tourisme international dans l'économie des pays du tiers monde.

---

[20] WORLD BANK (1991), *World Development Report 1991: The Challenge of Development*, Oxford University Press, p. 49. (Traduction libre)
[21] Voir OCDE (1979), *Pourquoi des politiques d'ajustement positives?*, Paris.
[22] Voir à ce sujet, Bruno Sarrasin (1995), *Évolution des programmes d'ajustement structurel de 1984 à 1994: de la critique des coûts sociaux aux réponses de la Banque mondiale*, Mémoire, Université du Québec à Montréal.

3- La place du tourisme international

S'il n'est pas possible de dissocier le développement de l'industrialisation, la question reste entière quant au meilleur moyen à mettre de l'avant pour industrialiser un pays et quel secteur est à privilégier pour favoriser la croissance aux moindres coûts. Nous aborderons ici le tourisme international en l'insérant dans la perspective du développement et en soulignant l'intérêt potentiel qu'il représente pour les PVD. Nous évoquerons aussi la position des organismes internationaux sur le choix du tourisme comme secteur à privilégier pour amorcer et entretenir le développement économique. Enfin, nous présenterons les raisons pour lesquelles l'industrie touristique est considérée comme un secteur « porteur » pour les pays du tiers monde, une perception qui prévalait particulièrement dans les années 1960.

L'essor du tourisme

Le tourisme n'a pas été inventé après la Seconde Guerre mondiale. De tout temps, l'être humain est attiré vers l'inconnu, vers des cultures et des paysages nouveaux. Mais pendant longtemps, le phénomène touristique est resté marginal, ne concernant qu'une élite possédant le temps et les moyens de payer ces longs voyages qui prenaient souvent l'allure d'expédition, comme en témoigne les *Grands tours* de la bourgeoisie anglaise du XVIIIe siècle. Le tourisme[23] international d'aujourd'hui est d'un tout autre ordre et, depuis les trois dernières décennies, son ampleur a dépassé la place qu'il avait occupé depuis l'antiquité jusqu'à l'avènement de l'aviation civile au milieu du XXe siècle.

Entre 1950 et 1970, les recettes du tourisme international ont crû de 11 % par année contre 6 % pour les produits primaires, témoignant des performances remarquables de ce secteur[24]. De plus, pour la période allant de 1958 à 1970, les arrivées touristiques ont augmenté en moyenne de 10 % par année alors que les exportations mondiales de marchandises n'ont crû que de 9,3 % durant cette

---

[23] Nous appellerons touristes, les visiteurs temporaires séjournant au moins 24 heures dans le pays visité, tel que proposé comme définition par les Nations unies (1963) dans *Recommandations on International Travel and Tourism*, United Nations Conference, Rome, p. 5. À noter cependant que lors de sa 27e session (22 février-3 mars 1993), la Commission de statistique des Nations unies a adopté les nouvelles définitions et classifications proposées par l'Organisation mondiale du tourisme (OMT) en matière de tourisme.

[24] Voir J. DIAMOND (1977), « Tourism's Role in Economic Development: The Case Reexamined », *Economic Development and Cultural Change*, vol. 25, no 3, April, p. 539.

période[25]. Ces conditions n'ont pas manqué de tenter les PVD, particulièrement ceux ne possédant que très peu de ressources naturelles, d'utiliser le secteur du tourisme pour amorcer leur développement.
Face à une demande croissante du tourisme national et international à partir de 1950, essentiellement due à « l'assouplissement des réglementations appliquées à la fin de la Deuxième Guerre mondiale pour limiter la circulation des devises et les déplacements à l'étranger »[26], à la hausse des revenus dans les pays industrialisés et à l'adoption de mesures sociales reconnaissant le droit aux vacances, l'option touristique s'avéra fort intéressante pour les PVD et « l'idée » fit parallèlement son chemin auprès des institutions internationales telles les Nations Unies, l'UNESCO, l'OCDE, la Banque mondiale et l'UIOOT[27]. De plus, il est important de considérer qu'à cette époque, plusieurs PVD nouvellement indépendants devenaient membres de ces organismes internationaux et se trouvaient en mesure de mieux pouvoir défendre leurs intérêts et influencer les décisions de ces organismes.
C'est dans ce contexte que les organisations internationales vont encourager le tourisme, lequel présente une alternative possible aux problèmes des économies en développement, caractérisées, entre autre, par un déficit structurel de leur balance des paiements. À cet effet, « la politique d'encouragement mené par la Banque mondiale et ses filiales dans les années 1960 en faveur de l'insertion du tourisme dans les plans de développement acheva de convaincre les pays encore hésitants »[28]. De plus, les nombreuses difficultés encourues dans les efforts d'industrialisation et l'essoufflement de l'aide internationale, ont poussé les pays du tiers monde « [...] à la recherche de branches nouvelles qui absorbent peu de capital et en génèrent plus »[29]. Si le secteur touristique semble pouvoir répondre à cet objectif, c'est en se basant notamment sur l'expérience réussie de certains pays d'Europe ayant misé sur le tourisme (comme l'Espagne et le Portugal) qui, suite au second conflit mondial étaient à la recherche de nouvelles entrées de devises, indispensables à la reconstruction de leur économie.

---

[25] Voir Moustapha KASSÉ (1973), « La théorie du développement de l'industrie touristique dans les pays sous-développés », *Annales africaines*, p. 54. À ce sujet, voir aussi UNITED NATIONS CONFERENCE ON TRADE AND DEVELOPMENT (1973), *Elements of Tourism Policy in Developing Countries*, United Nations, New York.
[26] BANQUE MONDIALE (1972), *Tourisme. Étude sectorielle*, p. 3.
[27] Union internationale des organismes officiels du tourisme qui deviendra en 1975 l'Organisation mondiale du tourisme.
[28] Abdelkader SID AHMED (1987), « Industrie touristique et développement: quelques enseignements », *Revue Tiers Monde*, t. XXVIII, no 110, avril-juin, p. 395.
[29] Moustapha KASSÉ, *loc. cit.*

Le tourisme comme moyen de développement

Pour bien saisir l'importance que représente le tourisme pour les PVD, il importe de replacer l'option touristique dans la problématique globale du développement. Devant les différents échecs à produire de l'épargne et l'insuccès des politiques d'industrialisation basées sur la spécialisation (avantages comparatifs), le problème du financement du développement dans les PVD, ainsi que le choix des secteurs industriels à privilégier reste entier. Quel rôle le tourisme peut-il donc jouer?

Il est possible de considérer le tourisme comme un secteur occupant une « fonction spéciale » dans la croissance économique des PVD[30]. Le tourisme peut en effet représenter un des moyens essentiels pour le passage des économies en développement à la phase du « take off » dont il a été question dans ce chapitre[31]. Dans ces conditions, les étapes de la croissance économique de W.W. Rostow permettent d'identifier une série d'impératifs économiques nécessaires à la croissance des PVD, auxquels le tourisme correspondrait parfaitement.

Il est d'abord question de mettre en valeur les « matières premières » du pays, ces dernières se définissant par un climat favorable, un paysage exotique ou un accès à la mer[32]. L'absence de ressources et de matières premières (ressources minières ou agricoles par exemple) caractérisant plusieurs pays du tiers monde a d'ailleurs motivé ceux-ci à opter pour le secteur touristique[33]. De plus, les PVD possèdent un avantage quant aux coûts comparatifs des biens et services touristiques. Les prix étant plus bas dans les PVD, ceux-ci deviennent davantage compétitifs sur le marché touristique international, incitant les touristes à les préférer aux pays industrialisés comme destination de vacances. Il est aussi plus facile « d'accumuler du capital » grâce au secteur touristique, en considérant que l'importation de biens d'investissements nécessaires au développement de ce secteur est inférieur aux autres secteurs industriels[34].

---

[30] Voir à ce sujet Kurt KRAPF (1962), *Les pays en voie de développement face au tourisme - introduction méthodologique*, rapports présentés au 12ème Congrès de l'AIEST (Athènes, 3-9 septembre 1961), vol. 3, Éditions Gurten, Berne, pp. 27-47.

[31] Voir Alberto SESSA (1970), « L'apport économique du tourisme dans les pays en voie de développement », *Revue de tourisme*, vol. 23, no 3, p. 94.

[32] Voir Kurt KRAPF, *loc. cit.*, p. 41.

[33] Voir Bernard MORUCCI (1991), « Analyse comparative de politiques touristiques dans les pays industrialisés et dans les pays en voie de développement », *Téoros*, collection Colloques et congrès, vol. 1, no 1, Les politiques touristiques, octobre, p. 3.

[34] Voir Kurt KRAPF, *loc. cit.*, pp. 42-43.

L'effet d'entraînement de l'industrie touristique

Ce qui semble le plus souvent associé au tourisme international comme moyen privilégié d'amorcer le développement économique des pays du tiers monde, concerne son effet multiplicateur sur les activités périphériques, ainsi que son effet bénéfique sur la balance des paiements et sur l'emploi. D'abord, la vocation « multiproduits » qui caractérise l'industrie touristique, stimule la demande pour les produits d'autres secteurs tels que l'agriculture et l'artisanat[35]. Le secteur de l'agriculture est favorisé par une augmentation de la consommation liée à l'essor du tourisme, et l'artisanat (très présent dans les pays du tiers monde) est stimulé par l'achat de souvenirs par les étrangers[36].

Il est possible de mieux saisir l'ampleur des implications du secteur touristique sur l'ensemble de l'économie en observant une typologie de la demande touristique. Celle-ci s'appuie sur un effet d'entraînement agissant sur cinq principaux secteurs (les attractions, le transport, l'hébergement, les installations de support et l'infrastructure). Les attraits touristiques et leur mise en valeur incitent le touriste à venir visiter le pays. Les moyens de transport permettent de réaliser effectivement cette visite, l'hébergement et les installations de support (telles que les boutiques, les banques et les restaurants) veillent à ce que le visiteur soit à son aise durant le séjour et les infrastructures de circulation assurent le fonctionnement essentiel de tous ces éléments[37].

Dans plusieurs pays du tiers monde, l'infrastructure est toutefois inadéquate pour permettre au tourisme de profiter des avantages comparatifs qu'offre le pays. Mais les objectifs de développement ne visent-ils pas justement à créer cette infrastructure de base nécessaire à la croissance du pays ? Pour Abdelkader Sid Ahmed, « la création des infrastructures préalables au tourisme peut [...] se révéler un facteur décisif de développement »[38]. En effet, la construction d'aéroports, de routes et de ponts, nécessaires à l'accessibilité des régions et des sites touristiques, stimule l'économie régionale en

---

[35] Voir Abdelkader SID AHMED, *loc. cit.*, p. 400.

[36] Voir Moustapha KASSÉ, *loc. cit.*, p. 5b; Alberto SESSA, *loc. cit.*, pp. 95-96. Mais l'effet d'entraînement du tourisme ne se limite pas à ces deux secteurs. Emanuel DE KADT (1980), en plus de confirmer les retombées sur la demande de denrées alimentaires et celles de l'artisanat ajoute un effet escompté sur l'industrie du bâtiment et sur la production de biens d'équipement. Voir *Tourisme, passeport pour le développement?*, publié pour la Banque mondiale et l'UNESCO par les Éditions Économica, Paris, p. 11.

[37] Voir Douglas PEARCE (1989), *Tourist Development*, Longman Scientific & Technical, Harlow, p. 2.

[38] Abdelkader SID AHMED, *loc. cit.*, p. 401.

développant la demande pour l'industrie et les services locaux, permettant de plus une extension des moyens de communication utile à tout le pays.
Le tourisme permet alors le développement des infrastructures de base qui représentent les fondements mêmes de tout autre progrès économique. La création d'une infrastructure pour le tourisme servira donc aussi bien aux autres secteurs, qu'ils soient industriels ou agricoles. Cette position nous amène à envisager le tourisme comme un pôle de développement[39]. Celui-ci étant défini comme une unité économique motrice, c'est-à-dire offrant un effet d'entraînement, on considère, outre l'effet sur la production agricole, que l'implantation de pôles de développement touristique ne fait pas concurrence aux autres secteurs industriels mais offre plutôt un caractère de complémentarité.

Le tourisme et la balance des paiements

Plusieurs autres bénéfices sont associés au développement du secteur touristique. Outre son effet multiplicateur, nous avons évoqué son effet bénéfique sur la balance des paiements. C'est en 1963, que la thèse voulant que les PVD puissent profiter des devises qu'engendre l'arrivée de touristes pour équilibrer leur balance des paiements est officiellement appuyée par les Nations Unies. Cette organisation internationale affirme à l'époque que le tourisme peut apporter et apporte effectivement une contribution vitale à la croissance économique des PVD[40]. Cette thèse sera également entérinée par la Banque mondiale, l'OCDE et l'UIOOT qui encourageront l'élaboration et l'exécution de programmes de développement touristique dans les années 1960 et 1970.
Pour Herbert Hoffmann, le succès d'une entreprise exportatrice dépend de l'accessibilité du marché visé. Or, le marché touristique peut être considéré comme un des marchés d'exportation le plus accessible, offrant ainsi la possibilité aux pays hôtes d'acquérir les devises nécessaires à leur développement[41]. L'effet sur l'économie du pays d'accueil a des chances d'être plus « complet » en agissant sur une plus grande variété de secteurs. Le tourisme est alors identifié comme étant l'activité économique la plus susceptible de procurer aux

---

[39] Voir à ce sujet François PERROUX (1964), *L'économie du XXème siècle*, Presses universitaires de France, Paris.
[40] Voir UNITED NATIONS, *Recommandations on International Travel and Tourism*, *op. cit.*.
[41] À cet effet, le tourisme se distingue des autres secteurs d'exportation puisque « [...] le consommateur final vient chez l'exportateur, le pays de destination, chercher sur place des biens et services au lieu de se les faire livrer chez lui ». Tiré de Emanuel DE KADT, *op. cit.*, p. viii.

PVD « [...] le plus vite possible les devises nécessaires pour l'importation de biens de consommation et d'investissement »[42].
En plus de représenter une source de devises, les autres effets bénéfiques du tourisme sur la balance des paiements affectent notamment le taux de change, les coûts de gestion, la fiscalité et les investissements étrangers[43]. Depuis les années 1980, le discours de la Banque mondiale est orienté vers une politique monétaire où la valeur des devises doit refléter sa valeur réelle sur le marché international. Si un pays veut développer son secteur touristique, il est nécessaire que son taux de change reflète sa valeur économique réelle. Puisque la valeur de la monnaie des PVD est généralement inférieure à celle des pays industrialisés, ceci a pour effet d'inciter les touristes potentiels à venir dépenser leurs devises dans les pays du tiers monde. De plus, un taux de change ramené à une valeur réaliste produit un effet bénéfique pour l'ensemble de l'économie, en favorisant les exportations.
L'implantation d'une nouvelle industrie nationale dans un PVD entraîne normalement une série de coûts de gestion qui se traduisent par l'importation d'expertise, de main-d'oeuvre et de biens d'équipement, déséquilibrant ainsi la balance des paiements. Or, les coûts de gestion de l'industrie touristique ne sont pas aussi lourds pour la balance des paiements puisque les besoins nécessaires, notamment en main-d'oeuvre, peuvent être plus facilement comblés par le pays lui-même.
Deux éléments doivent être soulignés quant à l'effet bénéfique du tourisme sur la balance des paiements des PVD, soit l'allégement fiscal dont peut profiter le trésor public et l'investissement étranger qu'il est possible d'obtenir. Dans le premier cas, la vente d'un service touristique à un étranger « coûterait » moins cher au gouvernement que l'exportation de tout autre produit national sur les marchés internationaux, puisque l'activité touristique ne profite pas de réduction d'impôts indirects ou de subvention dont bénéficie tout autre produit d'exportation pour le rendre plus compétitif sur le marché international[44]. De plus, la nécessité d'obtenir de l'investissement pour la mise en place de l'industrie touristique, oblige les gouvernements des PVD à intéresser les pays étrangers à leur fournir des capitaux, en offrant des garanties et des avantages d'ordre fiscal, économique et politique. La nécessité de rassurer les

---

[42] Kurt KRAPF (1962), *Les pays en voie de développement face au tourisme - introduction méthodologique*, rapports présentés au 12e Congrès de l'AIEST du 3 au 9 septembre 1961 à Athènes, vol. 3, Éditions Gurten, Berne, p. 43.
[43] Voir Alberto SESSA, *loc. cit.*, no 4, pp. 143-145.
[44] Ces conditions vont toutefois changer graduellement pendant les années 1960, impliquant une participation grandissante de l'État sur les plans économique et politique. Cet aspect de l'industrie touristique est traité en détail pour le cas du Maroc aux chapitres II et III.

investisseurs pousse les PVD à planifier leur développement touristique de façon rationnelle, avantageant aussi l'économie nationale dans son ensemble.

Le tourisme et l'emploi

Une grande partie des pays du tiers monde possède une main-d'oeuvre non-qualifiée abondante et souvent sous-utilisée. Ces conditions peuvent être identifiées comme un des obstacles au développement, entraînant un chômage élevé et une stagnation dans le secteur de l'agriculture. Or, nous avons souligné précédemment que l'industrie touristique est un moyen privilégié d'employer la main-d'oeuvre locale des PVD. Le tourisme est une activité économique tertiaire qui nécessite un fort emploi de main-d'oeuvre. En plus de l'incidence sur l'emploi qu'opère « l'effet multiplicateur » du tourisme sur les autres secteurs de l'économie, l'industrie touristique a besoin de main-d'oeuvre pour l'accueil, l'entretien et la gestion notamment pour l'hébergement et la restauration. Même si la majorité de ces emplois ne demandent pas de formation professionnelle, une partie de cette formation est susceptible d'être prise en charge par le secteur privé, augmentant ainsi le niveau d'éducation d'une partie de la population[45].
Mais le tourisme n'est pas seulement identifié comme un moyen de créer de l'emploi. Pour Emanuel De Kadt, l'industrie touristique offre une réelle possibilité pour les habitants d'accroître leur revenu et leur niveau de vie. Herbert Hoffmann va plus loin en soulignant que « [...] l'effet de la demande touristique sur la production nationale se présente davantage sous la forme d'une élévation des revenus des personnes déjà employées que sous la forme d'une augmentation du nombre d'emploi »[46].
Il est cependant possible d'envisager le tourisme comme un secteur absorbant très peu de main-d'oeuvre[47]. Sid Ahmed prend l'exemple de la Tanzanie et du Kenya pour souligner que la part de l'emploi générée par l'industrie touristique est très faible par rapport à l'emploi global, même en considérant l'effet multiplicateur. Le tourisme n'offre donc pas d'effet miracle, mais représente pour le moins, un moyen de plus pour les PVD de développer leur économie.

---

[45] Voir à ce sujet Alberto SESSA, *loc. cit.*, no 3, p. 99.
[46] Herbert HOFFMANN (1971), « L'industrie touristique: une chance pour les pays en voie de développement », in *Espaces*, vol. 5, juillet-septembre, p. 52.
[47] Voir Abdelkader SID AHMED, *loc. cit.*, p. 399; et Moustapha KASSÉ, *loc. cit.*, pp. 61-69.

Une première mise en garde

Pour que l'industrie touristique contribue effectivement au développement du pays d'accueil, il devient donc nécessaire d'être attentif à trois principaux éléments[48]. D'abord, la dimension de l'activité touristique à développer doit rester compatible avec la capacité d'absorption des infrastructures socio-économiques du pays. Il est de plus nécessaire de porter une attention particulière sur l'effet net (les revenus moins les dépenses) et ne pas se contenter du revenu brut que génère l'activité touristique sur la balance des paiements. Jusqu'à maintenant, nous avons surtout abordé les possibilités de revenus que présente l'industrie touristique. Mais la mise en oeuvre de divers projets peut engager davantage de sortie de devises qu'elle ne génère de revenus pour le pays d'accueil. Il importe au gouvernement de s'assurer que le développement de l'activité touristique soit réellement lié aux activités économiques connexes, afin de profiter pleinement de l'effet multiplicateur que permet ce type d'industrie et pour assurer la pleine intégration du tourisme dans l'économie nationale. L'industrie touristique présente des intérêts certains pour les pays du tiers monde soucieux de développer leur économie, mais il s'avère nécessaire pour les pays d'accueil de suivre de très près la mise en oeuvre de ce secteur prometteur pour s'assurer qu'il contribue effectivement à leur développement et occasionne le moins possible d'effets indésirables.

4 - La conjoncture économique internationale et le développement touristique

Nous avons exprimé jusqu'à maintenant de quelle façon le développement peut être envisagé et comment le tourisme s'inscrit dans cette perspective. La période des années 1950 et 1960 étant caractérisée par des conditions économiques généralement favorables, le tourisme y est apparu comme un moyen relativement simple d'obtenir des devises pour mener à bien l'industrialisation des PVD, en plus d'être un moyen privilégié de création d'emploi. Mais les conjonctures économiques plus difficiles des années 1970 et 1980 ont mis en relief la subtilité et la complexité des effets économiques et sociaux de l'activité touristique. Sachant qu'il est généralement de mise d'aborder l'impact du tourisme à travers les volets économique, socio-culturel et environnemental, nous n'aborderons pas ici en détails toute la complexité de ce domaine, mais seulement les principaux problèmes liés aux aspects économiques du développement de ce type d'industrie.

---

[48] Voir Jean-Pierre BÉJOT (1987), « Afrique tourisme », *Marchés tropicaux*, 16 octobre, p. 2664.

La dégradation des conjonctures économiques internationales

C'est au milieu des années 1970, à la suite de la première crise du pétrole, que la progression du tourisme marque une première pause. Une pause dans sa progression comme secteur économique prometteur, puisque les pays industrialisés - principaux fournisseurs de touristes - connaissent les difficultés liées à la crise pétrolière, et aux premiers ralentissements des échanges économiques internationaux depuis la Seconde Guerre mondiale. Les années 1970 se traduisent, de plus, par une pause dans la progression du tourisme comme moyen privilégié de développement. En effet, « la fin de la prospérité rappela qu'il était urgent de se demander si les recettes du tourisme dans les pays en développement justifiaient les investissements »[49].

La période suivant la multiplication par quatre du prix de l'hydrocarbure, à l'automne 1973, fut marquée par une augmentation brutale du taux d'inflation et un déficit considérable de la balance commerciale des pays industrialisés. Yves Gauthier ajoute que :

> Simultanément, le choc pétrolier a profondément modifié les soldes financiers et provoqué de graves déséquilibres. L'hétérogénéité du tiers monde est crûment révélée : tandis que l'OPEP enregistre en 1974 un excédent commercial de 82 milliards de dollars (et encore de 52 milliards de dollars en 1975), les PVD non exportateurs de pétrole accusent un déficit d'une trentaine de milliards de dollars[50].

Le résultat de ces conditions défavorables se traduit par un effondrement de la position commerciale de la majorité des PVD dont la part des exportations mondiales a chuté de 30,8 % en 1950 à 16,5 % en 1973, la moitié revenant aux pays de l'OPEP à partir de cette date[51].

La fin des années 1970 est marquée par de profonds déséquilibres qui subsistent depuis le premier choc pétrolier. La reprise de 1976 à 1979 est en effet peu convaincante et semble beaucoup moins vigoureuse que l'expansion des années 1960. En 1979 avec la chute du Shah, la réduction de la production iranienne de pétrole vient diminuer artificiellement l'offre d'hydrocarbure, faisant de nouveau grimper le prix du baril de pétrole entre 1978 et 1980, répétant ainsi le funeste scénario de 1974 avec comme principales caractéristiques l'accroissement de l'inflation et l'augmentation du déficit commercial.

---

[49] Emanuel DE KADT, *Tourisme, passeport pour le développement?*, *op. cit.*, p.vii.

[50] Yves GAUTHIER (1989), *La crise mondiale: Du choc pétrolier à nos jours*, Éditions Complexe, Paris, p. 87.

[51] *Ibid.*, p. 27.

Une conséquence pour le tiers monde : l'endettement

L'appauvrissement du tiers monde, exacerbé par cette seconde crise pétrolière, vient encore une fois enfoncer le clou de l'endettement aux pieds des PVD. La dette du tiers monde a d'abord quadruplé en dix ans, pour atteindre les 100 milliards de dollars en 1973. En 1978, la « Commission Brandt » attire l'attention de la communauté internationale sur la pauvreté extrême de 34 PVD qui, en Asie et dans l'Afrique subsaharienne notamment, ont subi tous les effets négatifs de la crise pétrolière sans en retirer d'avantages compensateurs. L'évolution inévitable de la dette, nécessaire aux besoins de financement des PVD, d'autant plus touchés par ces conjonctures économiques difficiles qu'ils possèdent peu d'épargne nationale, aura consacré les assises de la dépendance.

La récession de 1980-1982 marque le début d'une stagnation des exportations vitales pour les PVD et met un terme à un quart de siècle d'expansion des échanges internationaux. Ces échanges, qui avaient encore augmenté de 6 % au cours de l'année 1979, ne progresse plus que de 1,5 % en 1980 et cesse de croître jusqu'en 1982, diminuant ainsi les ressources en devises nécessaires aux pays du tiers monde pour le paiement de leur dette[52]. « Le 15 août 1982, le gouvernement mexicain se déclare dans l'incapacité d'honorer les échéances de sa dette et décrète un moratoire unilatéral de 90 jours pour les 20 milliards de dollars dus jusqu'à la fin de 1984 »[53]. Il est certain que des solutions d'urgence ont été imaginées pour sortir ce pays d'Amérique centrale de l'impasse, mais l'initiative mexicaine restera l'expression d'un malaise généralisé qui ouvrira la voie aux revendications sur le rééchelonnement de la dette dans d'autres pays du tiers monde.

La reprise de l'expansion économique à partir de 1983 (2,7 %), traduite notamment par une hausse de 4,8 % du PIB[54], a initié une croissance qui s'est maintenue jusqu'en 1989. À la fin de cette même année, les analystes notaient déjà un ralentissement dans les économies des pays industrialisés que la crise et la guerre du Golfe sont venu amplifier à partir de l'été 1990. Ces événements marquaient le début d'une nouvelle récession pour la plupart des pays occidentaux.

Mais si une reprise s'est fait sentir à partir de 1983 dans la plupart des pays industrialisés, pour la majorité des pays du tiers monde et en particulier pour ceux du continent africain, le terme reprise économique n'a pas eu d'autre sens qu'une croissance ralentie et une

---

[52] *Ibid.*, p. 163.

[53] *Ibid.*, p. 200.

[54] Pour l'ensemble des pays de l'OCDE. Tiré de Bruno MARCEL et Jacques TAIEB (1992), *Crises d'hier, crises d'aujourd'hui 1873..., 1929..., 1973...*, Éditions Nathan, Paris, pp. 29 et 31.

inflation galopante sur un fond d'endettement. Cette dette, constamment rééchelonnée au profit d'une réaffirmation de l'autorité que le FMI et la Banque mondiale avaient perdue depuis 1976, témoigne d'une réalité prévalant dans les relations Nord-Sud :

> [...] l'endettement systématique qui avait soutenu la croissance relative du tiers monde dans les années soixante-dix a créé pour la décennie suivante un goulot d'étranglement qui fait obstacle au développement ; il suspend une épée de Damoclès sur le système bancaire mondial et condamne au moins provisoirement les projets de sortie de crise fondés sur une coopération entre le Nord et le Sud[55].

Les conséquences pour le tourisme

Le climat économique incertain des années 1970 et 1980 a révélé la fragilité du secteur touristique. En effet, la détérioration de la conjoncture économique internationale qui s'est traduite par une détérioration des termes de l'échange[56] pour les PVD, jumelée à l'apparition de problèmes politiques (terrorisme, conflit au Moyen-Orient, etc.) et environnementaux (pollution de la Méditerranée, etc.) ont présenté un frein supplémentaire à l'essor du tourisme[57]. En plus des doutes sur la capacité du secteur à parfaire le développement du pays d'accueil, ces conditions ont fait ressortir certains effets indésirables qui ont incité les PVD à questionner leurs attentes face au tourisme, et à remettre en cause la notion de croissance économique comme objectif unique de développement.

En fait, les années 1970 ont fait apparaître le tourisme comme n'étant plus « [...] "l'activité économique miracle" ne nécessitant qu'un investissement minime et procurant la plus grande manne possible de devises »[58]. Les contraintes qui limitent ou pervertissent les effets du tourisme international sur le développement des pays relèvent de la « dépendance excessive à tous les stades » vers l'extérieur, que ce soit dans la réalisation d'infrastructures d'accueil, dans la gestion des ressources, dans la commercialisation du produit hôtelier et touristique ou dans la formation de la main-d'oeuvre[59].

---

[55] Yves GAUTHIER, *op. cit.*, p. 206.

[56] Les termes de l'échange mesurent, entre deux pays, ou deux groupes de pays, le rapport de l'indice des prix à l'exportation à l'indice des prix à l'importation. Ces indices sont nets car ils ne tiennent compte que des prix en ignorant les volumes échangés. L'évolution du rapport à la baisse, pour une période donnée, est la détérioration des termes de l'échange. Tiré de Bruno MARCEL et Jacques TAIEB, *op. cit.*, p. 36.

[57] Voir Bernard MORUCCI, « Analyse comparative de politiques touristiques dans les pays industrialisés et dans les pays en voie de développement », *loc. cit.*, p. 3.

[58] Jean-Pierre BÉJOT, *loc. cit.*, p. 2656.

[59] *Ibid.*

Cette dépendance est causée par le fait que le pays d'accueil ne maîtrise pas les produits et débouchés touristiques. Une situation plus que courante dans les PVD. En janvier 1991 encore, quelques trente ministres du tourisme d'Afrique francophone et anglophone réunis à Paris à l'occasion de l'Année du tourisme africain, renouvelaient leur intention d'évoluer vers une maîtrise de l'activité touristique en exprimant leur souci de « définir rapidement une politique soutenue destinée à développer un "tourisme durable" et mise en oeuvre dans le cadre d'une planification touristique intégrée »[60].
Il apparaît donc que les effets bénéfiques escomptés du tourisme, identifiés précédemment, dépendent largement et presque exclusivement des rapports avec les pays industrialisés, le tourisme s'inscrivant comme l'élément « [...] d'une stratégie de développement orientée vers l'extérieur [...] qui repose sur l'aide, les investissements étrangers, l'importation de technologie et autres rapports avec les pays capitalistes [...] »[61]. Cette réalité vient alimenter les raisons qui ont incité certains auteurs à s'opposer à l'emprise de la dépendance internationale, comme nous l'avons souligné en début de chapitre.
Le développement du tourisme dépend tout autant de l'étranger qu'un autre poste d'exportation, et sans une redéfinition des rapports interagissants entre les pays du centre et ceux de la périphérie, le tourisme ne pourra pas donner les moyens aux PVD de se développer sans sacrifier leur indépendance économique et politique. Il est nécessaire, pour favoriser l'émergence d'une politique maîtrisée du tourisme, que les PVD veillent à sauvegarder leur indépendance décisionnelle vis-à-vis du pays émetteur. Mais comme la plupart des PVD semblent évoluer dans un univers économique et politique instable, ayant les pieds et les mains liés par une dette grandissante et une division internationale du travail désavantageuse, cette indépendance paraît inaccessible.

L'industrie touristique, catalyseur de la dépendance?

La marge de manoeuvre des gouvernements et des autorités des PVD responsables du développement de l'industrie touristique semble, de fait, passablement étroite. Georges Cazes situe sur plusieurs plans les coûts qu'engendre, pour les PVD, la dépendance de l'activité touristique. La dépendance face à la demande d'abord, provoquée en quasi-totalité par les pays industrialisés. Si le pays récepteur est partiellement en mesure de contrôler la demande par les limites de sa capacité d'accueil, il est évidemment incapable de maîtriser les

---

[60] Cité dans Bernard MORUCCI, *loc. cit.*, p. 5.
[61] Abdelkader SID AHMED, « Industrie touristique et développement: quelques enseignements », *loc. cit.*, p. 403.

variations saisonnières qui sont essentiellement fonction du calendrier des congés des pays émetteurs de touristes.
Cette concentration à une période spécifique de l'année (les mois d'été surtout) de la disponibilité des touristes potentiels peut ne pas correspondre du tout avec les conditions climatiques favorables du pays d'accueil (saison des pluies, hiver austral). Cette situation peut avoir des effets dévastateurs sur la rentabilité des installations touristiques qui nécessite l'amortissement d'investissements substantiels comme l'hôtellerie, si le pays récepteur offre peu de conditions favorables aux flux touristiques internationaux[62].
Au niveau du secteur hôtelier justement (secteur clé de l'activité touristique), il est possible d'envisager une corrélation positive entre le pourcentage d'appropriation nationale de l'hébergement et l'envergure économique du pays récepteur, et entre le taux d'appropriation étrangère et la taille (et le niveau) de l'hôtel[63]. Considérant que beaucoup de pays du tiers monde possèdent une économie d'envergure relativement faible en comparaison aux économies des pays industrialisés, une grande partie de la capacité hôtelière appartient souvent à des intérêts étrangers.
En effet, 43 % à 50 % des capacités hôtelières totales de la Jamaïque, 68 % de celles des Seychelles, 90 % de l'investissement hôtelier de Sainte-Lucie, des Bermudes et des Bahamas n'appartiennent pas aux nationaux[64]. Le problème que pose cette situation se traduit par une dépendance décisionnelle accrue des PVD face à l'extérieur, et par un rapatriement des bénéfices de la part des investisseurs étrangers, occasionnant ainsi un effet négatif sur la balance des paiements.
Cette situation est exacerbée par le taux d'appropriation étrangère qui croît à mesure que la taille et le niveau de l'hôtel augmentent. C'est donc dire que les moyens les plus susceptibles de rapporter des devises, comme les hôtels de classe internationale, sont entre les mains d'étrangers dont l'objectif premier ne vise pas nécessairement à développer le pays d'accueil. Il reste bien sûr la petite hôtellerie qui appartient le plus souvent en totalité aux nationaux, mais cette réalité est loin de traduire les scénarios reluisants que présentaient les auteurs du début des années 1970.
La vérité est que le tourisme n'est évidemment ni un miracle, ni un fléau pour quelque pays que ce soit. Il est vrai que certaines expériences de développement par le biais de l'industrie touristique restent concluantes[65], mais chaque pays connaît des effets différents de l'activité touristique rendant ainsi la généralisation hasardeuse.

---

[62] Voir Georges CAZES (1992), *Tourisme et tiers-monde: un bilan controversé*, Éditions L'Harmattan, Paris, pp. 86-87.
[63] *Ibid.*, p. 87.
[64] *Ibid.*
[65] Le cas de l'Espagne est notoire à ce sujet, malgré l'émergence grandissante de problèmes environnementaux liés au développement de la *Costa del Sol*.

Nous ne faisons ici que relever une certaine évolution dans la perception du tourisme comme outil de développement.
Dans son analyse des coûts liés à la dépendance du secteur touristique, G. Cazes évoque de plus la nécessité pour les PVD de se procurer les nouvelles technologies développées dans les pays industrialisés, concrétisant de nouveau la dépendance des PVD face à l'extérieur. Cette situation se présente aussi dans l'exploitation et la distribution du produit touristique ; en effet, les contrats d'étude et de formation accordés aux grandes firmes multinationales, l'adoption d'équipements et de méthodes de gestion importés des pays industrialisés sont autant de moyens d'entretenir la dépendance et de réduire la marge de manoeuvre des PVD.
La distribution du produit touristique à l'étranger est encore une fois largement tributaire d'intervenants extérieurs ; dans ces conditions, « [...] l'intervention des opérateurs étrangers oriente et conditionne un style de développement et une image, modèle des équipements et des fréquentations, induit des courants privilégiés d'échanges, crée des habitudes et des rigidités »[66]. Le secteur touristique, ainsi dominé par les sociétés étrangères, viendra accroître les « fuites externes » qui caractérisent déjà la structure spécifique des PVD et rendra caducs les effets possibles du multiplicateur touristique qu'évoquaient, depuis les années 1960, une pléiade d'auteurs.

Tourisme et développement : un bilan nuancé

On a vu de quelle façon la notion de développement avait évolué depuis trois décennies, passant de la croissance économique à des considérations plus qualitatives, pour en arriver aux applications néoclassiques que nous connaissons aujourd'hui. Le tourisme aussi s'est transformé depuis les années 1960. De 25 millions d'arrivées de touristes internationaux en 1950, celles-ci sont passées à 166 millions en 1970 et à 456 millions en 1990 ; l'OMT prévoyant 660 millions d'arrivées pour l'an 2000[67]. Le tourisme international, qu'il représente un moyen privilégié d'acquérir des devises ou un secteur traînant vers le fond le reste de l'économie, qu'il soit le catalyseur d'échange et de développement culturel ou un facteur d'acculturation, qu'il favorise la mise en oeuvre de politiques environnementales ou qu'il entretienne la pollution, n'est pas prêt d'arrêter sa progression. Mais que l'on parle du tourisme comme la « voie royale » du développement ou que l'on évoque les « conséquences néfastes » du secteur touristique sur l'économie, la société ou l'environnement du

---

[66] Jean-Pierre BÉJOT, *loc. cit.*, p. 88.
[67] Voir Enzo PACI (1993), *Prévisions du tourisme mondial à l'horizon 2000 et au-delà*, Séminaire sur les tendances et défis du tourisme international tenu à Montréal les 27-28 mai , OMT. À noter que la part des PVD au chapitre des arrivées représentait 23,1 % du total en 1990.

pays d'accueil, nous serons d'accord avec Moustapha Kassé pour dire que le choix de l'option touristique n'est économiquement rentable que si « le tourisme opère un transfert de capital plus important qu'il n'en coûte [et que] le capital est mieux utilisé là que dans d'autres secteurs de l'économie »[68]. Il est clair en effet, que « [...] les coûts et les bénéfices du tourisme ne sont pas immuables mais dépendent des politiques choisies pour le promouvoir »[69], l'activité touristique n'étant pas, de toute façon, un produit homogène.

---

[68] Moustapha KASSÉ, *loc. cit.*, p. 71.
[69] Abdelkader SID AHMED, *loc. cit.*, p. 404.

II- LA GENESE DU TOURISME MAROCAIN[70]

La genèse du tourisme marocain, ou si l'on veut l'ensemble des éléments ayant contribué à façonner le tourisme au Maroc et de manière plus précise la politique touristique de cet État, se présente sous quatre volets majeurs.
La premier décrit la situation du tourisme au Maroc avant 1965 - date à laquelle on assiste à la véritable naissance de la politique touristique - soit pendant l'ère protectorale et la période post-coloniale. Le second évoque les facteurs ayant influencé l'émergence d'une politique touristique au Maroc. Il s'agit principalement des atouts naturels et culturels dont disposent le pays et de l'importance socio-économique et politique du tourisme pour les autorités marocaines.
Le rôle central de l'État dans le développement du tourisme au Maroc constitue le troisième volet. Il met en évidence la prépondérance, au niveau interne, du rôle de l'État à travers une intervention à la fois directe (via le secteur public et semi-public) et indirecte (mesures visant à encourager les investissements du secteur privé). Enfin, le dernier volet important à considérer concerne le rôle de la Banque mondiale qui, parmi les influences externes, a été déterminant dans la mise en place de la politique touristique marocaine et dans son financement.

5- Le tourisme au Maroc avant 1965

L'ère du protectorat

La genèse de la politique touristique marocaine débute avec l'institution du protectorat français qui prévaudra pendant près de trente-cinq ans, soit de 1912 à 1956. Les premières initiatives apparaissent dans les années 1920 et c'est au Résident Général Lyautey qu'elles reviennent[71]. La politique coloniale en matière de tourisme est relativement simple ; elle consiste à offrir un endroit de

---

[70] Ce chapitre, ainsi que le chapitre III proviennent en grande partie du mémoire de maîtrise de Charles-Étienne Bélanger (1994), *L'État marocain et sa politique touristique: le rôle des déterminants externes et internes (1960-1990)*, mémoire, département de science politique, Université du Québec à Montréal.

[71] « En 1921, le maréchal Lyautey, convaincu du profit que pourrait retirer le protectorat de l'expansion du tourisme au Maroc, décida la construction d'un hôtel de grand luxe à Marrakech et en détermina lui-même l'emplacement dans les jardins dits « de la Mamounia » et confia en 1923 sa réalisation à la Compagnie des chemins de fer du Maroc ». Hassan Sebbar (1972), *Bilan d'une politique touristique. L'exemple du Maroc*, mémoire, Faculté des sciences juridiques, économiques et sociales, Université Mohammed V, Rabat, p. 23.

repos pour les Français et les touristes fortunés. C'est ainsi que les investissements seront orientés vers la construction d'hôtels de luxe afin de mieux répondre aux exigences des voyageurs. Bien que l'expansion du tourisme à l'époque coloniale ait été relativement modeste, elle « [...] n'aurait pas été possible sans l'investissement en “infrastructure économique matérielle" qui, pour l'ensemble de la période allant de 1949 à 1956, a absorbé "un tiers de la masse totale des investissements réalisés dans l'économie marocaine” »[72].
L'importance accordée au tourisme par les autorités du protectorat s'est aussi traduite par la création en 1937 de l'Office chérifien du tourisme qui venait en quelque sorte remplacer le « Comité central du tourisme » institué dès 1918 et qui avait comme mission « [...] d'étudier toutes les questions se rapportant au tourisme, tant à l'intérieur du Maroc, qu'entre le Maroc et l'extérieur, de rechercher tous les moyens propres à le développer, de suggérer toutes les mesures tendant à améliorer les conditions de transport, de circulation et de séjour des touristes »[73].
L'Office chérifien du tourisme, chargé principalement de la création, de la gestion et du contrôle des organismes d'accueil et de renseignements touristiques et de la préservation des monuments historiques cessera ses activités du fait de la guerre en 1939. Ce n'est qu'en 1946 qu'on verra naître l'actuel Office national marocain du tourisme (ONMT).
Malgré ces initiatives, le tourisme est loin d'être une priorité pour le protectorat dont le seul véritable but est de faire en sorte que « le poste "tourisme" figure avec un solde créditeur important dans la balance des paiements »[74], selon les auteurs du rapport du deuxième Plan de modernisation et d'équipement (1954-1957).
Pour la période allant de 1949 à 1952, le programme d'équipement à long terme ne consacrait que 1,24 %[75] du total des investissements projetés au secteur du tourisme, laissant du même coup au secteur privé, la presque totale responsabilité dans ce domaine.
Les promoteurs privés pourront toutefois compter sur la Caisse des prêts immobiliers du Maroc (CPIM) créée en 1920, pour obtenir des crédits à des conditions avantageuses. Cet organisme, considéré alors comme un outil servant à encourager la colonisation des terres et qui est l'ancêtre du Crédit immobilier et hôtelier (CIH), consacrera

---

[72] *Ibid.*
[73] Nissim MRÉJEN (1963), *L'Office national marocain du tourisme*, Collection de la Faculté des sciences juridiques, économiques et sociales, Université Mohammed V, publications du Centre universitaire de la recherche scientifique, Éditions La Porte, Rabat, p. 10.
[74] Hassan SEBBAR, *op. cit.*, p. 26.
[75] *Ibid.*, p. 25.

depuis sa création jusqu'en 1955, 995 millions d'anciens francs en prêts pour encourager la construction hôtelière[76].
Les différentes mesures adoptées lors du protectorat se traduiront par un accroissement de la capacité hôtelière au Maroc (265 hôtels pour un total de 7677 chambres en 1955) et une augmentation du nombre de touristes (150 000 en 1949 à 253 000 en 1953) qui seront toutefois freinés par les événements qui conduiront le Maroc à son indépendance[77].
Cette période où l'on ne peut encore véritablement parler de politique touristique laissera toutefois son empreinte sur ce qui allait suivre après 1956, année où le Maroc se libérera du protectorat français. Cette affirmation d'H. Sebbar est on ne peut plus éloquente à cet égard :

> À la veille de l'indépendance, le Maroc a hérité du colonialisme un potentiel important en matière d'offre touristique (infrastructure en routes, ports et aéroports, hôtellerie, etc.). Cette structure va peser sur l'orientation du tourisme du Maroc indépendant et ce, d'autant plus que durant les neuf ans après l'indépendance, la capacité hôtelière du Maroc n'avait pratiquement pas subi de modifications aussi bien sur le plan quantitatif que sur le plan qualitatif.[78]

La période post-coloniale

Au lendemain de l'indépendance (2 mars 1956), le Maroc doit s'attaquer à un certain nombre de problèmes dont les trois plus pressants sont la définition d'un cadre idéologique devant orienter le développement socio-économique du pays, la rénovation du système fiscal (création d'une monnaie nationale, le dirham et modification du système budgétaire avec l'adoption de la Loi des finances) et l'instauration d'un système de planification opérationnel[79].
Ces questions sont d'autant plus importantes à régler qu'elles impliquent « la réorientation d'une économie autrefois dirigée vers la satisfaction des besoins de la puissance colonisatrice : industrie d'extraction minière pour alimenter l'industrie française, productions agricoles destinées aux marchés extérieurs »[80]. C'est dans ce

---

[76] *Ibid.*, p. 27.
[77] *Ibid.*, pp. 26-27.
[78] *Ibid.*, p. 27.
[79] Voir à ce sujet Mimoun HILLALI (1985), *Le tourisme sur la côte méditerranéenne du Maroc. Potentiel et actions gouvernementales*, thèse, Institut d'aménagement régional, Université de droit, d'économie et des sciences d'Aix-Marseille, pp. 69-71.
[80] Siraj-Eddine EL-MACHRAFI (1983), *Le cas de la société hôtelière « Diafa » et le dilemme de la nationalisation-privatisation du secteur hôtelier au Maroc*, Module de gestion et intervention touristiques, Université du Québec à Montréal, pp. 23-24.

contexte que l'État marocain adopte son premier plan, le plan biennal 1958-1959, qui se veut un plan de transition entre l'ancien plan (1954-1957) et le futur plan quinquennal (1960-1964). Il fixe trois objectifs prioritaires à savoir l'accroissement de la production agricole, la stimulation de la production industrielle et l'intensification de la formation des cadres et de la main-d'oeuvre qualifiée[81].
Dans le cadre de ce plan biennal, l'expansion du secteur touristique est vue, comme au temps du protectorat, comme un moyen d'équilibrer la balance des paiements. Il n'y a donc aucun véritable changement d'approche à ce niveau. Les crédits alloués à ce secteur illustrent toutefois le peu d'importance qu'on y accorde : seulement 0,22 % du total général d'investissement. Les résultats de 1959 laissent cependant entrevoir des signes encourageants alors que pour la première fois en 40 ans, la balance touristique est excédentaire avec un surplus de 4 milliards d'anciens francs ; le déficit ayant été de 2,4 milliards l'année précédente (1958)[82]. Cette performance sera prise en compte par les auteurs du plan 1960-1964 qui l'expliquent de la façon suivante :

> [...] le succès de la campagne touristique ne saurait être attribué à la seule diminution des sorties de Français résidant au Maroc, car 119 000 d'entre eux vont toujours séjourner à l'étranger, mais plutôt à l'accroissement du nombre de touristes se rendant au Maroc (225 000) dont 70 % de touristes autres que les Français, ce qui constitue un apport de devises fortes très appréciables dans l'optique d'un Plan de développement ayant pour corollaire des importations de biens d'équipement destinés à notre industrie.[83]

Le plan quinquennal 1960-1964 dans lequel les premières orientations économiques sont clairement précisées, se veut l'outil d'une « [...] politique structurelle de transition d'une économie nationale, s'inscrivant dans le cadre d'une stratégie de rupture avec le passé qui devait conduire le pays à l'indépendance économique et financière »[84]. Les objectifs de cette politique consistent donc à mettre en oeuvre les moyens permettant à l'État marocain d'affermir son indépendance économique et de promouvoir un développement qui s'appuie sur les forces internes de l'État, comme nous le rappellent les auteurs A. Doumou et H. El Malki. Ces objectifs

---

[81] Voir Albert WATERSON (1962), *Planning in Morocco*, The Economic Development Institute, International Bank for Reconstruction and Development, Johns Hopkins Press, Baltimore, p. 18.

[82] MINISTÈRE DE L'ÉCONOMIE NATIONALE, ministère de l'Économie nationale, Division de la coordination économique et du plan, « Le secteur des services - le développement du tourisme », *Plan quinquennal 1960-1964*, Rabat, n.d., pp. 289-290.

[83] *Ibid.*, p. 290.

[84] Abdelali DOUMOU et Habib EL MALKI (1986), « La politique économique », *La Grande Encyclopédie du Maroc*, p. 155.

nécessitent des réformes structurelles dans les secteurs clefs de l'économie :

- formation professionnelle et scolarisation massive ;
- développement de l'agriculture ;
- mise en place d'une industrie de base ;
- transformation des structures étatiques.

Mais, dès 1962, les objectifs de cette politique économique dite « volontariste » s'avèrent trop ambitieux compte tenu des moyens dont dispose l'État. En 1963, on abandonnera les orientations globales de ce premier plan quinquennal.

Au cours de cette période (1960-1964), bien que l'État n'accorde pas une place prioritaire au tourisme, on s'entend pour dire qu'il constitue à tout le moins un facteur de développement pour trois raisons majeures :

- c'est d'abord une source d'approvisionnement en devises ;
- c'est un facteur d'expansion du marché national ;
- c'est enfin un moyen de résorption du sous-emploi.

Les objectifs prévus pour le quinquennat dans ce secteur sont précis : on espère obtenir des recettes de l'ordre de 180 millards (d'anciens francs) en 5 ans, recevoir un total de 1 750 000 touristes d'ici la fin de 1964 et créer 20 000 emplois pour la durée du plan[85].

L'État qui ne prévoit investir que 1,4 % du budget total d'investissement du pays dans le secteur touristique, entend agir comme simple coordonnateur via l'ONMT, laissant 92 % du programme d'investissement touristique à la charge du secteur privé. Ce dernier n'est toutefois pas laissé totalement à lui-même puisqu'il pourra bénéficier d'une nouvelle réglementation du crédit foncier que le gouvernement adopte en 1962[86] et qui accorde à la CPIM « un rôle bien plus vaste en tant que seul organisme spécialisé dans le financement de la construction de logements et d'hôtels »[87].

Dans le cadre du plan, l'État prend aussi quelques initiatives pour encourager les investissements du secteur privé par l'adoption d'un nouveau code d'investissement en 1960. Beaucoup plus libéral que celui de 1958, notamment à l'égard des investisseurs étrangers, il ne donnera toutefois que des résultats décevants et il faudra attendre 1973 pour son remplacement par cinq codes sectoriels, dont un est consacré au secteur touristique.

Si les résultats du plan quinquennal ont été, de façon générale, décevants et ont conduit à son abandon, ils « s'expliquent tant par l'insuffisance et l'inefficacité des instruments mis en oeuvre que par

---

[85] MINISTÈRE DE L'ÉCONOMIE NATIONALE, Division de la coordination économique et du plan, *op. cit.*, pp. 291-292.

[86] Il s'agit du dahir 5.11.62 portant réglementation du crédit foncier et dans lequel on retrouve des mesures concernant le crédit hôtelier.

[87] Leyla BENNANI-SMIRES (1978), *Tourisme et développement: le cas du Maroc*, Institut d'études politiques, Aix-en-Provence, p. 67.

la non-réalisation des réformes de structures prévues »[88]. Sur le plan touristique, malgré une augmentation des entrées de touristes (154 % entre 1961 et 1964) qui n'a pu commencer à se manifester qu'après la guerre d'Algérie, la balance touristique est déficitaire pour l'ensemble du quinquennat et la capacité hôtelière est même légèrement inférieure à celle qui prévalait à la veille de l'indépendance[89]. D'ailleurs, les investissements hôteliers furent très faibles au cours de cette période, la CPIM ne consentant entre 1960 et 1964 qu'un montant de 14 006 500 DH dont seulement 41 % des prêts consentis furent effectivement réalisés[90].
Pour trouver une solution à « la première crise financière du Maroc indépendant » en 1964, les autorités font appel à la Banque mondiale qui envoie une mission d'experts dont les conclusions influenceront dans une large mesure l'orientation générale de la nouvelle politique économique, définie dans le cadre du plan triennal 1965-1967. Dès lors, une nouvelle philosophie en matière de politique économique allait se développer. Le tourisme serait au coeur de celle-ci.

6- La naissance de la politique touristique

Certains facteurs importants, à la fois sur le plan intérieur et extérieur au Maroc, ont considérablement influencé les dirigeants de cet État qui acceptent finalement de se doter d'une véritable politique touristique à partir de 1965. Ils permettent, en complément à la situation du tourisme qui prévalait au Maroc avant 1965, de mieux comprendre la dynamique dans laquelle s'insère un tel choix. Ces facteurs peuvent être identifiés à la richesse touristique naturelle et culturelle du Maroc, à l'émergence de l'économie internationale du tourisme dans le contexte du développement (aspect qui a déjà été traité à la section 3) et à l'importance socio-économique et politique qu'attachent les autorités marocaines au développement du tourisme.

Une vocation touristique naturelle

Les atouts du Maroc, lui conférant une vocation touristique naturelle, reposent tout d'abord sur des facteurs géographiques.
Appartenant au bassin méditerranéen - l'un des trois grands « lacs de vacances » dans le monde, les deux autres étant constitués par la mer des Caraïbes et la mer de Chine - le Maroc occupe une situation géographique privilégiée : bordé à la fois par l'océan Atlantique et la

---

[88] Abdelali DOUMOU et Habib EL MALKI, *op. cit.*, p. 155.
[89] Selon HASSAN SEBBAR, *op. cit.*, p. 32, cela s'explique par le fait qu'un certain nombre d'établissements hôteliers aient fermé leurs portes ou transformé leurs conditions d'exploitation.
[90] Voir Hassan SEBBAR, *op. cit.*, p. 31.

mer Méditerranée, il est au point de convergence entre l'Europe et l'Afrique et est situé à proximité des pays pourvoyeurs de touristes. D'une superficie de 710 850 km^2 (à titre de comparaison celle de la France couvre 543 965 km^2), le Maroc jouit d'un climat tempéré pendant la plus grande partie de l'année et offre une variété de paysages permettant plusieurs types d'activités touristiques. Des plages de sables du littoral méditerranéen (468 km) et atlantique (2500 km) en passant par les massifs montagneux du Rif et de l'Atlas jusqu'au Sahara marocain, le royaume du Maroc possède des ressources naturelles (mer, montagne, désert) représentant un potentiel touristique extraordinaire.

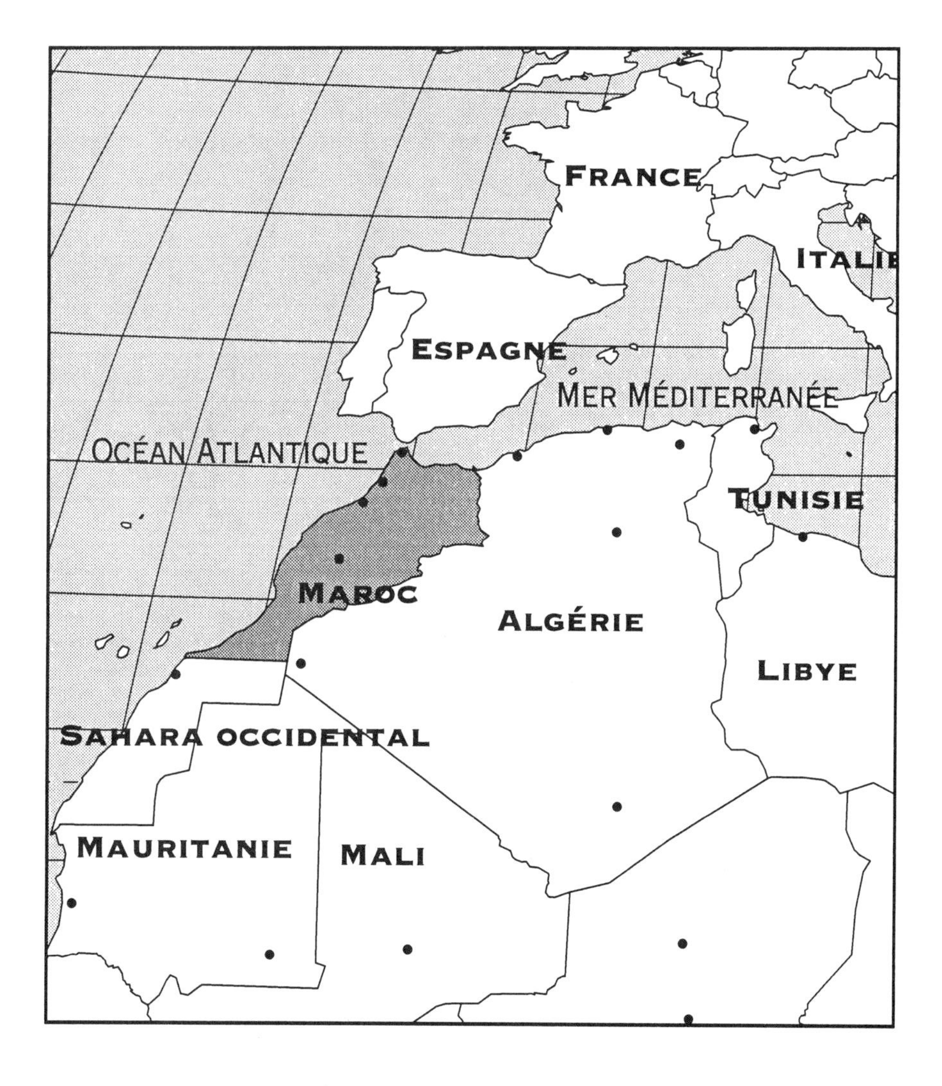

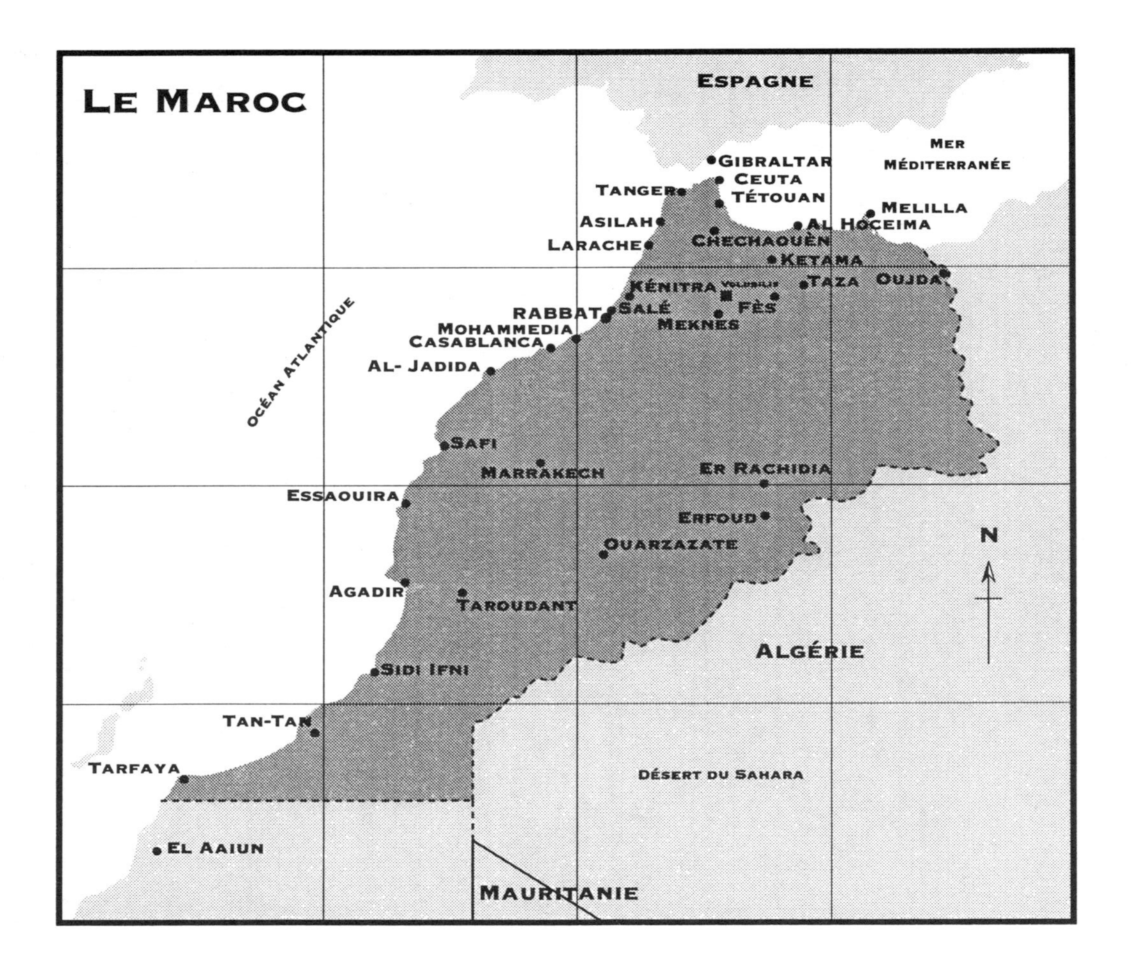
LE MAROC
ESPAGNE
MER MÉDITERRANÉE
GIBRALTAR
CEUTA
TÉTOUAN
TANGER
ASILAH
LARACHE
CHECHAOUÈN
AL HOCEIMA
MELILLA
KETAMA
TAZA
OUJDA
KÉNITRA
SALÉ
RABBAT
FÈS
MEKNÈS
MOHAMMEDIA
CASABLANCA
AL- JADIDA
OCÉAN ATLANTIQUE
SAFI
MARRAKECH
ER RACHIDIA
ESSAOUIRA
ERFOUD
OUARZAZATE
AGADIR
TAROUDANT
N
ALGÉRIE
SIDI IFNI
TAN-TAN
TARFAYA
DÉSERT DU SAHARA
EL AAIUN
MAURITANIE

En plus de ces avantages naturels, le Maroc dispose d'un espace culturel très riche façonné par une longue histoire comme en font foi les vestiges des civilisations romaine et islamique. Les quatre cités impériales que sont Fès, Meknès, Marrakech et Rabat rappellent à travers leurs monuments historiques (kasbahs, palais royaux, médersas, koubbas, mosquées, jardins) et les différents musées, toute la richesse de l'art hispano-mauresque et la marque des différentes dynasties ayant régné sur les pays du Maghreb et sur l'Espagne.
Mais cette richesse du patrimoine historique et culturel marocain ne se limite pas aux seules choses du passé. Elle est bien vivante et s'exprime dans l'artisanat (tapisserie, bijouterie, broderie, cuir, métaux, bois, céramique), les fêtes religieuses et folkloriques, la musique et les danses, la gastronomie et à travers la vie quotidienne en constante effervescence dans les médinas et les souks.
Tous ces avantages, combinés à une tradition hospitalière de la population marocaine, donnent au royaume du Maroc les éléments nécessaires lui permettant d'établir un programme touristique valable et diversifié (tourisme balnéaire, tourisme des montagnes, tourisme culturel). Conscientes de l'importance de ce capital touristique encore peu exploité, encouragées par les recommandations d'une mission d'experts de la Banque mondiale ainsi que par le succès remporté par leur voisin du Nord, l'Espagne, les autorités marocaines n'hésiteront plus à s'engager sur la voie du tourisme.

L'importance socio-économique et politique du tourisme pour les autorités marocaines

Outre la « vocation touristique naturelle » du pays, des raisons d'ordre socio-économique et politique sont à la base de la politique touristique marocaine. Ceci se reflètera dans les objectifs du plan triennal 1965-1967 (voir section 9).
L'importance de ce secteur pour l'État marocain se situe à deux niveaux, soit le national et le régional[91]. Dans le premier cas, l'objectif consiste à faire du tourisme le moteur du développement socio-économique. Conscientes de l'échec du plan antérieur (1960-1964), et confrontées à une crise financière (la première du Maroc indépendant), les autorités reconnaissent que « l'économie nationale ne pourra plus être stimulée à tous les niveaux [comme par le passé, et qu'il faut donc] élire un secteur économique pouvant par son large spectre d'effets induits et d'effets indirects stimuler l'ensemble de

[91] Mimoun HILLALI (1987), *Développement du tourisme méditerranéen en harmonie avec l'environnement. Le cas du Maroc*, ministère du Tourisme, Division des aménagements et équipements touristiques, Rabat, p. 7.

l'économie »[92]. Le tourisme, de l'avis des dirigeants, est susceptible de jouer un tel rôle. On lui attribue la capacité d'avoir des retombées positives sur les autres secteurs de l'économie (agriculture, artisanat, transports, commerce, etc.), de pouvoir se développer à coûts réduits[93] et de contribuer à l'équilibre de la balance des paiements et à la création d'emplois. Il devient donc un secteur prioritaire du plan. À cet égard, « [...] ni la politique instaurée autour de ce choix, ni les critiques adressées aux limites du tourisme comme moyen pour enclencher un décollage économique n'ont été à même de détourner l'État de son option politique »[94].

Au niveau régional, l'objectif est de « stimuler l'économie des régions déshéritées » pour compenser la concentration des investissements et des crédits accordés au secteur agricole (première priorité du plan) dans la partie du territoire national dite « Maroc utile » , partie constituée de grands périmètres irrigués.

En général, nous souscrivons au point de vue d'un auteur comme Hillali, pour qui le tourisme remplit une triple fonction :

- sur le plan politique, le tourisme est vu comme « un contrepoids, destiné avant tout à faire croire aux habitants de ces contrées pauvres (celles qui ne bénéficient pas du développement d'une agriculture moderne), qu'ils ne sont pas les oubliés de ce grand partage de la richesse nationale »[95] ;
- sur le plan économique, le tourisme est perçu comme un moyen d'attirer les investisseurs potentiels (nationaux comme étrangers) à qui l'État offre une série d'avantages pouvant être encore plus substantiels pour les régions privilégiées dans le Code des investissements ;
- sur le plan social, le tourisme est considéré comme une façon « [...] de créer chez les classes moyennes du monde rural, des habitudes de consommation, en comptant sur l'effet de mimétisme et d'imitation »[96]. Mais encore plus, « l'objectif visé est l'altération du comportement trop traditionnel jugé trop statique, et par conséquent moins ouvert aux impératifs

---

[92] Mimoun HILLALI, *Le tourisme sur la côte méditerranéenne du Maroc. Potentiel et actions gouvernementales*, *op. cit.*, p. 79.

[93] Selon Mimoun HILLALI, *ibid.*, p. 80, le raisonnement qui est fait est le suivant: « une fois l'infrastructure et la superstructure réalisées, l'industrie touristique n'aura pas besoin - contrairement à l'industrie de transformation - de matières premières matérielles pour son fonctionnement, étant donné que les recettes de ce secteur correspondent en grande partie aux prix des services offerts par le personnel travaillant dans cette industrie ».

[94] Siraj-Eddine EL-MACHRAFI, *op. cit.*, p. 4.

[95] Mimoun HILLALI, *Le tourisme sur la côte méditerranéenne du Maroc. Potentiel et actions gouvernementales, op. cit.*, p. 82.

[96] *Ibid.*, p. 82.

et aux exigences du modernisme »[97]. Cet objectif implicite de la politique touristique marocaine est d'autant plus important qu'il vise des régions autrefois non soumises au pouvoir central.

7 - Le rôle central de l'État marocain

Le rôle central de l'État dans ses rapports avec l'économie et la société est une donnée de structure que l'on observe dans plusieurs expériences d'édification nationale dans le monde arabe, quelles que soient les options dont se réclament les pays concernés[98]. Au Maroc, l'intervention de l'État dans un grand nombre d'activités socio-économiques n'a pas tardé à prendre de l'ampleur dès le début des années 1960. La part du secteur public dans les investissements totaux est significative à cet égard[99].
Le secteur du tourisme n'a pas fait exception à la règle et on peut affirmer à juste titre que l'État marocain est responsable du « décollage » et du développement de l'industrie touristique au Maroc. Son rôle s'est traduit par une intervention directe via la ministère du Tourisme et divers organismes publics et semi-publics, ainsi que par une intervention indirecte destinée essentiellement à encourager les investissements en provenance du secteur privé.

L'intervention directe de l'État

En créant le ministère du Tourisme en 1965, les autorités marocaines confirment le secteur touristique parmi les nouvelles priorités de l'économie marocaine.
Des tâches dévoluent au Ministère, trois grandes fonctions émergent et résument le rôle de l'État en matière de développement touristique : une fonction technique (aménagement-investissement), une fonction de contrôle et d'orientation et une fonction de promotion[100].
Pour soutenir le ministère du Tourisme dans la réalisation de ses diverses tâches, l'État s'appuie sur un certain nombre d'organismes et de sociétés à caractère public ou semi-public tels que l'ONMT, l'ONCF (Office national des chemins de fer), le CIH, la CDG (Caisse de dépôt et de gestion) et la BNDE (Banque nationale pour le développement économique). À travers ces organismes, l'État prendra en charge la majorité des investissements, notamment dans le

---

[97] *Ibid.*
[98] Voir Habib EL MALKI et Jean-Claude SANTUCCI (1990), *État et développement dans le monde arabe*, Éditions du CNRS, Paris, p. 3.
[99] Entre 1960 et 1980, cette part aurait été en moyenne de 64,4 %. Voir « La fièvre de la privatisation », *Al Asas*, no 85, mai 1988, pp. 4-5.
[100] *Ibid.*

secteur hôtelier. Ainsi en va-t-il de l'ONMT, qui en plus de jouer le rôle d'agent publicitaire, participe au capital de nombreuses sociétés touristiques dont la DIAFA, chargée de la gestion des hôtels appartenant à l'ONMT.
Il en sera de même avec les organismes financiers. Outre le CIH dont il sera question plus loin, il y a la CDG, établissement public créé en 1959 et spécialisé dans la gestion des fonds publics, qui affectera une grande partie de ses fonds à l'investissement touristique. Ses objectifs visent à :

- servir de locomotive aux promoteurs, afin de les intéresser aux régions à vocation touristique mais n'arrivant pas à attirer suffisamment de capitaux ;
- permettre au secteur public, par sa présence sur le marché touristique, de drainer une grande partie de devises vers ses caisses ;
- féconder par association, des capitaux étrangers et nationaux, en leur offrant de très bonnes conditions de participation et suffisamment de garanties[101].

Pour réaliser ces objectifs, la CDG participera à la création de sociétés filiales, parfois en collaboration avec l'ONMT. Parmi ces sociétés, on retrouve Maroc-Tourist (qui s'occupe de la valorisation de la côte méditerranéenne), la Société africaine de tourisme (qui voit à l'acquisition de terrains et à la mise en valeur du littoral), le Groupe Maroc-hôtels et les Sociétés hôtelières de Nador et d'El Riad.
Quant à la BNDE, établissement bancaire avec une forte participation de l'État, M. Hillali[102] rappelle qu'elle agira surtout par le biais de sa filiale, la SOMADET (Société marocaine de développement touristique) créée dans le but d'introduire la formule de villages de vacances au Maroc. Elle interviendra aussi en coopération avec le CIH, dans le financement des investissements hôteliers.
En plus d'investir et d'aménager, l'État prendra en charge tout le volet formation en créant des écoles hôtelières, des centres de formation professionnelle et l'Institut supérieur de tourisme de Tanger (1972), afin de pouvoir former une main-d'oeuvre qualifiée à divers niveaux (cadres supérieurs, cadres intermédiaires, agents subalternes). Il veillera aussi, conformément aux tâches qui lui sont attribuées, à réglementer les professions touristiques, notamment les agences de voyages et les guides touristiques, et à procéder au classement des établissements touristiques en définissant des normes propres à chaque catégorie.
L'effort étatique se manifestera enfin par la mise au point d'une politique de développement des transports touristiques (transport terrestre, maritime et aérien), par des actions promotionnelles et

---

[101] Voir Mimoun HILLALI, *Le tourisme sur la côte méditerranéenne du Maroc, op. cit.*, p. 93.
[102] *Ibid.*, p. 98.

publicitaires, via entre autres le réseau de délégations de l'ONMT à l'étranger, et par différentes mesures destinées à améliorer la qualité du produit touristique dans son ensemble (accueil, animation, mise en valeur du patrimoine culturel, etc.).
L'intervention massive de l'État dans le domaine du tourisme, attribuée entre autres à la « faiblesse » du secteur privé, se poursuivra jusqu'à la fin des années 1970. Confronté alors à une situation économique de plus en plus difficile, on verra l'État se désengager peu à peu et la part du budget consacré au tourisme être réduite considérablement tel qu'illustré au tableau suivant.

TABLEAU 1
Le tourisme dans les programmes d'investissement de 1960 à 1985

Plans	Part dans le budget total (%)	Part du secteur privé (%)
Plan quinquennal 1960-1964	1,4 %	92 %
Plan triennal 1965-1967	6,4 %	20 %
Plan quinquennal 1968-1972	6,8 %	18 %
Plan quinquennal 1973-1977	6,5 %	16 %
Plan triennal 1978-1980	3,4 %	90,6 %
Plan quinquennal 1981-1985	1,8 %	90 %

Source : *Plans de développement.*

L'intervention indirecte de l'État

Les mesures visant à encourager les investissements en tourisme constituent le deuxième volet majeur de l'action étatique. Cette intervention indirecte de l'État prendra forme à travers les codes des investissements touristiques et le crédit hôtelier.

Les codes des investissements touristiques

La notion de « code d'investissement »[103] qui fait de ce dernier un instrument majeur d'une politique économique incitative ne doit pas nous faire oublier qu'il (le code) est aussi un « [...] acte politique et procède d'une vision qui fonde la stratégie de développement sur le primat de l'entreprise privée et, particulièrement encore, sur la contribution des capitaux étrangers au financement du développement national »[104].
Le premier code d'investissement du Maroc indépendant date de 1958. Il fut remplacé peu de temps après, en 1960, par un code plus libéral, notamment à l'égard des investisseurs étrangers. Ses dispositions concernent aussi le tourisme[105]. Plus tard, en 1973, un code d'investissement spécifique au secteur touristique sera promulgué. Il sera modifié à deux reprises, en 1983 et en 1988.

Le code de 1973

C'est suite aux résultats décevants du code de 1960 que l'État marocain adopte un nouveau code en 1973. En fait, il s'agit de cinq codes sectoriels concernant les investissements dans l'industrie, le tourisme, les mines, la pêche et l'armement maritime. Un code spécifique au secteur du tourisme s'imposait pourtant, d'autant plus que le code précédent avait d'abord été conçu pour assurer le développement du secteur industriel, et qu'il n'avait pu répondre que partiellement aux exigences du secteur touristique. Ce sera fait en 1973[106]. Trois grandes orientations[107] s'y dégagent :

---

[103] Elle peut être définie de la façon suivante: « Un code d'investissement se présente sous forme d'un texte juridique regroupant un ensemble de mesures destinées à encourager le développement des investissements privés dans divers secteurs de l'économie. Ces mesures sont principalement d'ordre fiscal mais concernent aussi, fréquemment, les conditions de financement de l'investissement, les procédures et les rapports avec l'administration, le régime de change pour les investisseurs étrangers, etc. ». Voir Najib AKESBI (1986), « Les codes d'investissement », *La Grande Encyclopédie du Maroc (économie et finance)*, sous la direction de Habib El Malki, Rabat, p. 212.

[104] *Ibid.*

[105] C'est suite à la création du ministère du Tourisme en 1965 et à la publication d'un arrêté interministériel datant du 4 juillet 1967 qu'on étend aux investissements touristiques l'ensemble des dispositions du Code des investissements de 1960.

[106] Ce code a été promulgué le 13 août 1973 en vertu du « Dahir portant loi no 1-73-411 du 13 rejeb 1343 (13 août 1973), instituant des mesures d'encouragement aux investissements touristiques ».

[107] Ces orientations proviennent textuellement du document suivant (1985): *Note sur la politique touristique au Maroc*, ministère du Commerce, de l'Industrie et du Tourisme, Département du tourisme, mai, p. 2.

1- la politique d'incitation ne se limite plus à l'encouragement de l'hôtellerie classique mais s'étend à d'autres branches pour assurer la croissance équilibrée du secteur (résidences touristiques, animation intégrée dans un ensemble touristique, réfection des établissements non-homologués).
2- Les avantages sont adoptés aux particularités du secteur et à la nécessité d'assurer aux réalisations dans ce domaine une répartition structurelle et géographique appropriée à la satisfaction du marché touristique national et international.
3- Les investissements étatiques sont au même titre que les investissements privés, éligibles au bénéfice des mesures d'encouragement prévues mais doivent s'inscrire dans le cadre de l'exercice d'un effet démonstratif et palliatif et ne doivent être en aucun cas concurrentiels à l'initiative privée.

Parmi les avantages dont peuvent bénéficier les investisseurs nationaux et étrangers, citons :

- la réduction du droit d'enregistrement sur la constitution de société ou l'augmentation de son capital (art. 7) ;
- l'exonération de la taxe sur les biens d'équipement, outillages et matériels neufs importés ou acquis localement (art. 5) ;
- l'exonération totale de l'impôt des patentes[108] pendant 5 ans pour les entreprises de transport touristique et pendant 10 ans pour les autres entreprises touristiques (art. 8) ;
- l'exonération totale de l'impôt sur les bénéfices professionnels pendant 5 ans pour les entreprises de transport touristique et pendant 10 ans pour les autres entreprises qui s'implantent dans les provinces du Sud saharien, dans le Maroc oriental et dans certaines villes sous-équipées (Beni Mellal, El Jadida, Settat, Safi) (art. 10 et 11) ;
- les crédits obtenus auprès du CIH à des taux d'intérêts préférentiels (4,5 %) (art. 18) ;
- l'avance remboursable mais non productive d'intérêt, égale à 15 % de l'investissement projeté, terrain exclu, pour les entreprises touristiques (hôtels un à quatre étoiles) pouvant justifier avoir réalisé sur leurs fonds propres 20 % de l'investissement. Cette avance est accordée pour une durée de 10 ans par le CIH (art. 19).

D'autres dispositions du code de 1973 concernent de façon spécifique les investisseurs étrangers. Ces derniers peuvent en effet retransférer le produit de liquidation jusqu'à concurrence du montant de capital investi (art. 16) et ils ont la garantie de transfert des dividendes nets d'impôts sans aucune limitation (art. 17).

---

[108] Issu du système français, on assimile la patente à une taxe professionnelle imposée aux bénéfices des professions artisanales, commerciales, industrielles et libérales.

L'ampleur de ces mesures démontre fort bien l'intérêt majeur porté par les autorités marocaines pour le développement du tourisme. Mais, malgré toutes ces largesses, le code ne produit pas les résultats escomptés. Dans un rapport du ministère du Tourisme, on lit que « le Code des investissements de 1973, censé être l'instrument approprié du développement touristique, a pu à peine maintenir la moyenne des réalisations enregistrées sous l'empire du Code de 1960 (3000 lits environ par an) »[109].
C'est pour tenter de remédier aux nombreuses difficultés d'application du code de 1973 qu'on procèdera à l'élaboration d'un nouveau code des investissements touristiques en 1982-1983.

Le code de 1983

Élaboré en étroite concertation avec les professionnels du tourisme, le nouveau code, promulgué en juin 1983[110], se démarque de l'ancien à au moins trois niveaux, en plus de reconduire en grande partie les avantages et encouragements du code précédent.
Il offre tout d'abord un élargissement de la gamme des bénéficiaires. La notion « d'entreprise touristique » est ainsi étendue à toutes les branches du secteur (palais des congrès, stations de ski, marinas, casinos, agences de voyages, etc.).
Il prévoit, en plus du régime normal (projets dont l'investissement est inférieur à 60 millions de DH) et du régime conventionnel (projets dont l'investissement, exclusion faite du terrain, est supérieur à 60 millions de DH), « [...] l'établissement d'un régime préférentiel avec l'espoir de faire sortir les régions bénéficiaires de ces encouragements exceptionnels, de leur situation de marginalisation, pour ne pas dire d'oubli »[111]. Sur trente-neuf provinces, vingt-neuf peuvent ainsi bénéficier de ce régime dont le principal avantage réside dans l'exonération totale de l'impôt sur les bénéfices professionnels pour une période de 10 ans.
Il établit enfin les modalités d'application[112] de la loi qui devraient permettre d'éliminer les obstacles rencontrés lors de la mise en pratique du code précédent.
Signalons finalement que le code de 1983 offre des incitations supplémentaires, notamment à l'égard des investisseurs étrangers,

---

[109] MINISTÈRE DU TOURISME (1979), *Note sur le tourisme au Maroc*, Rabat, p. 6.

[110] Ce code a été promulgué le 3 juin 1983 en vertu du « Dahir no 1-83-134 du 21 chaabane 1403 (3 juin 1983) ».

[111] Mimoun HILLALI, *Le tourisme sur la côte méditerranéenne du Maroc. Potentiel et actions gouvernementales*, *op. cit.*, p. 88.

[112] Ces modalités se retrouvent dans le décret no 2-82-750 du 1er ramadan 1403 (13 juin 1982) adopté pour l'application de la loi instituant les mesures d'encouragements touristiques.

pour qui le transfert des bénéfices annuels est devenu automatique, celui-ci n'étant plus soumis à l'autorisation de l'Office des changes.
L'ensemble des nouvelles mesures adoptées dans le cadre du code de 1983, en plus de répondre aux critiques du code précédent, s'inscrivent dans un contexte économique caractérisé par un certain retrait de l'État au profit du secteur privé. Depuis 1978 en effet, l'État n'investit plus directement dans l'hôtellerie. Le courant de « privatisation » sera d'ailleurs plus fort avec l'entrée en vigueur en 1983, du programme d'ajustement structurel du FMI. De ce fait, peu de changements interviendront au niveau du code de 1988, si ce n'est pour alléger quelque peu les charges de l'État.

Le code de 1988

La véritable modification qu'entraîne l'adoption de ce nouveau code[113] se résume à une réduction de moitié en durée (5 ans au lieu de 10 ans) de l'exonération de 50 % de l'impôt sur les bénéfices professionnels ou de l'impôt sur les sociétés. Pour les entreprises qui s'implantent dans les zones privilégiées par l'État (il y a deux provinces de plus pour un total de 31 provinces), l'exonération totale de l'impôt ne vaut plus que pour les cinq premières années, les cinq années suivantes étant assujetties à une réduction de 50 % (au lieu de 100 %) du montant desdits impôts. Parmi les autres mesures visant à réduire les charges financières de l'État, retenons l'abrogation des dispositions relatives aux ristournes d'intérêt dans le nouveau code.

Le crédit à l'hôtellerie

En complément aux codes des investissements touristiques, le crédit à l'hôtellerie constitue une mesure déterminante pour attirer les capitaux privés dans le secteur du tourisme. En tenant compte des avantages prévus par le Code des investissements, la part d'un prêt peut en effet représenter entre 50 % et 60 % du coût total de l'investissement nécessaire pour un projet hôtelier. Ce crédit à l'hôtellerie est géré par la « Banque du tourisme » au Maroc, le Crédit immobilier et hôtelier (CIH).
Le CIH, qui remplace en 1967 la Caisse des prêts immobiliers du Maroc (CPIM), dont les premières opérations remontent aux années 1920, est un organisme financier agréé par l'État[114], spécialisé dans

---

[113] Ce code est venu modifier le code de 1983 par la loi no 05-88 promulguée par le dahir no 1-88-17 du 4 mai 1988, et par la loi no 21-88 promulguée par dahir no 1-88-289 du 28 décembre 1988.

[114] Le CIH est une société anonyme de droit privé dont le capital est détenu à concurrence de 56 % (en 1989) par des établissements publics ou semi-publics (CDG, CPM, BMCE, SNI, BNDE), le reste par des personnes physiques et

le financement des opérations foncières, immobilières et hôtelières. Les règles relatives au crédit hôtelier sont définies dans une loi promulguée en 1968[115] qui permet au CIH de développer une expertise dans le domaine des équipements touristiques et de devenir le leader du crédit hôtelier. L'objectif est d'alléger le poids des charges financières pesant sur les promoteurs au début de l'exploitation des établissements touristiques.

Même si les domaines d'intervention du CIH ne se limitent pas à l'hôtellerie[116], c'est ce secteur qui reçoit la plus grande part des crédits en tourisme, soit plus de 90 %. Le crédit hôtelier regroupe trois grands types de prêts[117] : les prêts à la construction, les prêts à la réfection et à l'agrandissement, les prêts à l'équipement hôtelier.

Pour être admissible au crédit hôtelier, les projets de promoteurs doivent avoir été acceptés par le Comité technique du ministère du Tourisme et être éligibles aux avantages du Code des investissements touristiques. Les principaux critères d'évaluation reposent sur le respect des normes techniques, sur les indicateurs de rentabilité, sur la situation du marché et enfin sur la qualité du gestionnaire.

La fonction initiale de crédit du CIH est vite dépassée. Cette institution devient, à partir de 1973, une véritable banque de développement du tourisme en créant une série de filiales pour promouvoir les secteurs relevant de sa compétence. Elle a ainsi été à l'origine de la création de la Société Farah-Maghreb « [...] qui associe des partenaires privés marocains avec des privés ou des organismes financiers étrangers en provenance essentiellement des pays arabes »[118]. Cette opération du CIH, en plus d'attirer des capitaux étrangers dans le secteur du tourisme, s'inscrivait dans le cadre de la politique de régionalisation visant à implanter des unités hôtelières dans les différentes régions du pays. Le CIH a également créé une société spécialisée - SAFIR - pour la gérance d'une importante chaîne hôtelière, en plus de participer à la création d'autres sociétés de promotion du sud marocain : la Société

---

morales privées (compagnies d'assurances, établissements bancaires et porteurs anonymes).

[115] Il s'agit du décret royal portant loi no 552-67 du 26 ramadan 1388 (17 décembre 1968), relatif au crédit foncier, au crédit à la construction et au crédit à l'hôtellerie, et de l'arrêté du ministre des Finances de même date pris pour son application. Il venait en quelque sorte remplacer l'ancienne loi (dahir du 5 novembre 1962) portant réglementation du crédit foncier. Au cours des années, un certain nombre de dispositions seront modifiées.

[116] Outre le domaine de l'hôtellerie, le CIH finance des établissements concourant à l'animation touristique et des projets liés au domaine du transport touristique (autocars, minibus, bateaux de plaisance, etc.).

[117] Voir décret royal du 13 décembre 1968 relatif au crédit foncier, au crédit à la construction et au crédit à l'hôtellerie (mis à jour, avril 1991), CIH.

[118] ONMT (1975), « L'évolution du tourisme marocain », *Maroc Tourisme*, numéro spécial, Rabat, p. 9.

immobilière pour le développement touristique du Sahara (SIDESTA), la SIDET et la Société immobilière de Sidi Ifni.
Malgré le désencadrement des crédits accordés au secteur touristique par le système bancaire en 1989[119], le CIH demeure toujours « la banque du tourisme agréée par l'État » et peut compter, en plus des fonds publics, sur des ressources nationales (emprunts sur le marché financier, dépôts) et des ressources en devises, comme en fait foi le dernier prêt de la SFI, et d'un consortium de banques étrangères pour le financement du secteur touristique, en 1989 (92 millions $US).

TABLEAU 2
Évolution de la structure de financement des investissements semi-publics et privés dans les projets hôteliers (% du total)

	Capital propre propre (semi-public/ privé)	Avance de l'état	Crédit du CIH
Plan 1965-1967	27 %*	21 %	52 %
Plan 1968-1972	29 %**	14 %	57 %
Plan 1973-1977	30 %	15 %	55 %
Plan 1978-1980	27 %	13 %	60 %
Plan 1981-1985	25 %	20 %***	55 %
Plan 1988-1992	24 %	24 %****	52 %

Source : *Plans de développement économique et social, Royaume du Maroc.*

Notes :
* On ne parle ici que de fonds privés.
** 7 % pour le secteur semi-public et 22 % pour le secteur privé.
*** Avances étatiques : 13 %, exonération de la TPS et autres avantages : 7 %.
**** Avances étatiques : 12 %, exonérations fiscales : 12 %.

[119] Cette mesure fait en sorte que les autres banques marocaines peuvent également financer des projets à caractère touristique.

L'importance accordée par l'État marocain au rôle du capital privé national et étranger afin qu'il investisse dans le secteur touristique, a fortement imprégné les orientations de la politique de financement des établissements d'hébergement. En assurant entre 50 % et 60 % du financement des investissements privés et semi-publics dans le secteur du tourisme, le CIH a joué un rôle central tout au cours de l'évolution de la politique touristique. À cet égard, le tableau 2 est on ne peut plus représentatif de cette situation.

8 - Le rôle de la Banque mondiale

Si le rôle central de l'État dans le développement du tourisme au Maroc s'est avéré une force prédominante sur le plan interne, on peut presqu'en dire autant du rôle de la Banque mondiale au niveau extérieur. L'influence de cette dernière s'est d'abord manifestée dans le cadre d'une mission économique réalisée au Maroc en 1964 et dont les recommandations allaient dans le sens d'un véritable développement du secteur touristique. Elle s'est ensuite concrétisée par un soutien financier actif prenant la forme de prêts - surtout au CIH - mais également la forme d'une assistance technique pour certains projets[120].
Pour bien comprendre le rôle de la Banque mondiale au Maroc, il importe toutefois d'expliquer l'intérêt de cette institution financière pour le secteur touristique. C'est ce que nous ferons dans un premier temps.

L'intérêt pour le tourisme

L'intérêt de la Banque mondiale pour le tourisme est significatif d'une double évolution : celle de la Banque dans sa recherche d'alternatives nouvelles en matière de développement économique et celle du phénomène touristique. La première se traduit par une prédisposition à orienter la politique économique des États vers le développement du tourisme, là où les conditions le justifient. La deuxième incite à profiter des opportunités qu'offre une industrie en plein essor. Pour expliquer cet intérêt, des motifs d'ordre théorique et pratique doivent être considérés.

La stratégie de la Banque

Le tourisme en tant que facteur de développement apparaît au début des années 1960 (voir section 3). Ce n'est toutefois qu'en 1969 que la Banque mondiale s'engage véritablement dans le développement

[120] Ce fut le cas du projet touristique de la baie d'Agadir où la Banque mondiale est intervenue non seulement sur le plan financier mais aussi technique.

de ce secteur en ouvrant un nouveau département chargé des projets touristiques[121]. Cette décision repose sur la reconnaissance d'une croissance rapide du tourisme international et sur l'importance pour un grand nombre de pays membres de la Banque, de pouvoir davantage bénéficier d'un secteur pourvoyeur de devises. Mais elle s'inscrit aussi dans le cadre des objectifs fixés par McNamara[122] dans son programme quinquennal 1969-1973 : doubler le volume des engagements dans le monde, tripler le montant total des prêts à l'Afrique, réorienter les efforts tant sur le plan géographique que sectoriel.

La réalisation de ces objectifs n'efface toutefois pas les problèmes que connaissent les PVD. Malgré certaines améliorations (augmentation des investissements et des taux de croissance du PNB), on se rend vite compte de la persistance du chômage et du sous-emploi, du plus grand nombre de gens dans la pauvreté absolue et de l'inégalité dans la répartition des revenus. Ainsi, voit-on apparaître au début des années 1970 un nouveau discours qui se dégage du seul critère - celui de la croissance du PNB - ayant prévalu dans les activités de la Banque depuis de nombreuses années. S'inspirant des travaux de divers économistes[123], ce discours est axé sur les problèmes de pauvreté et de répartition des revenus. Il marquera le second programme (1974-1978) de McNamara qui s'en fera un vibrant défenseur.

En accordant plus d'attention aux aspects sociaux de la croissance économique, la Banque va diversifier ses activités. Le pourcentage

---

[121] Ce département aura pour mission d'aider les pays membres « [...] à préparer des plans d'ensemble pour l'organisation du tourisme, à exécuter des études de justification économique pour chaque projet et à former des cadres et spécialistes qualifiés, qu'il s'agisse de l'administration des programmes ou des opérations touristiques elles-mêmes » (Banque mondiale, *Rapport annuel 1970*). Il fermera ses portes en 1979, la Banque ayant décidé de mettre un terme au soutien direct de projets touristiques à cause de restrictions budgétaires et parce qu'elle considère qu'une trop faible minorité de pays (18 sur 120) ont bénéficié de son aide au cours de la décennie passée (voir H. David Davis et James A. Simmons (1982), « World Bank Experience with Tourism Projects », *Tourism Management*, vol. 3, no 4, December).

[122] L'arrivée de Robert S. McNamara à la tête de la Banque mondiale en 1968 allait donner une nouvelle impulsion aux activités de l'institution. Il en sera président jusqu'en 1981.

[123] Voir entre autres les travaux de Hollis B. CHENERY *et al.* (1974), *Redistribution with Growth*, Oxford University Press, Oxford. Le concept de « redistribution et croissance » (Redistribution with Growth) deviendra en quelque sorte la marque de commerce de la Banque en 1974. Il suggère que les revenus supplémentaires de la croissance soient redirigés vers les pauvres plutôt que de revenir vers ceux qui sont déjà bien nantis. Dans la pratique, ce concept s'avérera toutefois difficilement applicable car il présuppose que les élites nationales fassent des concessions aux plus défavorisés de la société, ce qui est loin d'être évident.

des ressources financières consacré aux secteurs traditionnels (énergie, transport, télécommunications et autres projets d'infrastructure) sera réduit au profit de nouveaux secteurs : agriculture et développement rural, éducation, santé, urbanisation... et tourisme.

Les nouvelles priorités de la Banque mondiale se reflètent dans la formulation des objectifs en matière de tourisme et dans les types de projets financés. L'apport en devises et la création d'emplois demeurent des objectifs essentiels, mais devant servir à la mise en valeur des régions moins développées des PVD et à la réduction des écarts entre les revenus et l'emploi d'une région à l'autre. La Banque se dit de plus préoccupée par les effets socio-culturels et environnementaux du tourisme dans les PVD et par certains aspects de la distribution des avantages que procure le tourisme :

> Elle veut veiller à ce que les propriétaires privés ne soient pas les seuls à bénéficier de « pactoles » lorsque la mise en valeur d'une nouvelle station balnéaire peut faire monter brusquement la valeur des terrains dans la région.[124]

Quant aux nouveaux types de projets, ils ne se limitent plus à la simple construction d'hôtels, mais portent aussi sur l'aménagement intégré de centres touristiques (comme à Agadir).

Au-delà de tous ces aspects, la stratégie de la Banque mondiale repose sur un élément qu'il convient de mettre en relief, car en bout de ligne, il est déterminant. Il s'agit de la croissance phénoménale de l'industrie touristique à l'échelle mondiale. Une croissance qui présente des avantages rejoignant directement les intérêts de la Banque.

Une industrie en plein essor

Dans une étude sectorielle publiée en 1972, la Banque mondiale rend compte des plus récentes tendances du tourisme international. Les chiffres sont impressionnants :

> De 1950 à 1970, les arrivées de visiteurs étrangers (vacanciers, hommes d'affaires et autres) dans l'ensemble des pays sont passées de 25 à 168 millions, ce qui représente un taux de croissance annuel moyen de 10 % et, au cours de la même période, les recettes au titre du tourisme international ont augmenté de 2,1 milliards de dollars à 17,4 milliards de dollars, soit un taux de croissance de 11 % par an.[125]

Pour les experts de la Banque, il ne fait aucun doute que les PVD vont continuer à profiter d'une telle croissance. On estime que « [...] de 1960 à 1968, alors que les exportations en provenance des pays en voie de développement (à l'exception des exportations pétrolières) augmentaient de 7,6 % par an, les recettes provenant du tourisme

---

[124] BANQUE MONDIALE, *Rapport annuel 1973*, p. 26.

[125] BANQUE MONDIALE (1972), *Tourisme (étude sectorielle)*, p. 4.

augmentaient de 11 % par an »[126]. Et les perspectives d'avenir semblent tout aussi prometteuses. Particulièrement pour les flux touristiques en direction des Caraïbes et du bassin méditerranéen où l'on table sur une forte augmentation[127].

Dans cette optique, le tourisme offre des avantages intéressants à ceux qui désirent investir dans ce secteur, qu'il s'agisse d'investissements issus des PVD ou de l'étranger. Or, une des missions de la Banque mondiale n'est-elle pas de promouvoir le plus grand développement de l'économie mondiale en créant des conditions propices à l'essor des investissements privés nationaux et étrangers? Les statuts mêmes de l'organisation sont là pour le confirmer[128] tout comme ceux de la Société financière internationale (SFI), une filiale de la Banque qui investit dans le secteur touristique depuis 1967.

Le rôle de la Banque mondiale consiste à établir une synergie entre les PVD désireux de développer le secteur touristique et les investisseurs privés qui désirent y investir des capitaux. Consciente des risques liés à une main mise des intérêts privés étrangers sur le développement touristique de certains PVD, la Banque définit avec précision son rôle :

> Encourager diverses formes d'entreprises conjointes qui permettraient aux pays en voie de développement de garder une participation majoritaire dans l'équipement touristique et aux investisseurs étrangers d'engager des sommes suffisamment importantes pour garantir leur intérêt au succès de l'entreprise[129].

C'est dans ces conditions que le Groupe de la Banque mondiale[130] s'impliquera activement dans le secteur du tourisme. Une

---

[126] *Ibid.*, p. 15.

[127] On estime que dans ces régions, le nombre de touristes devrait pratiquement doubler en dix ans. Voir BANQUE MONDIALE, *Tourisme (étude sectorielle), op. cit.*, p. 7.

[128] Dans l'article I des statuts de la BIRD où l'on définit les buts de l'organisation, on y lit que la Banque a pour buts: « (ii) d'encourager l'investissement privé à l'étranger au moyen de garanties ou de participations aux emprunts et autres investissements faits par des capitalistes privés; en outre lorsque les capitaux privés ne sont pas disponibles à des conditions raisonnables, de fournir, à des conditions appropriées et pour des buts de production, des fonds prélevés sur son propre capital ou obtenus par son intermédiaire, etc.; (iii) d'encourager l'expansion équilibrée, à long terme du commerce international et le maintien de l'équipement dans la balance des comptes, en encourageant l'investissement international pour le développement des ressources productives des États membres, etc. »

[129] BANQUE MONDIALE, *Tourisme (étude sectorielle), op. cit.*, p. 28.

[130] Le Groupe de la Banque mondiale englobe la Banque mondiale (la Banque internationale pour la reconstruction et le développement (BIRD) et son institution affiliée, l'Association internationale de développement (IDA) et la Société financière internationale (SFI), une filiale de la BIRD. La mission de

implication qui aura un impact relativement important dans certains pays en développement comme le Maroc.

La définition de la politique économique marocaine

C'est à la demande du gouvernement marocain, que la Banque mondiale envoie en février 1964, un groupe d'experts dont la mission a deux grands objectifs :

1- to assess the developmental potential of the economy, taking into account factors which impose a limitation on growth, resource base, and the economic and social infrastructure ;
2- to consider and to recommend economic policies, institutional arrangements and the elements of an investment program together designed to accelerate Moroccan economic gowth.[131]

La mission produit un rapport établissant les priorités à suivre jusqu'en 1970. Le programme de développement économique proposé repose sur l'idée centrale qu'il faut assurer un taux de croissance de la production (output) plus rapide que celui de la population afin que les revenus per capita augmentent, que les conditions de vie s'améliorent et que les épargnes additionnelles contribuent aux futurs investissements. Pour atteindre cet objectif, la relance doit être concentrée au niveau des secteurs productifs - agriculture, pêche, mines et industrie - et du tourisme international.
L'intérêt de la Banque mondiale pour le tourisme est évident dans le rapport du groupe d'experts qui reconnaît que les beautés du pays et son climat offrent des atouts pour la croissance du tourisme. La Banque, fidèle en cela à ses préférences en matière de développement économique, encourage l'État marocain à développer le tourisme et à favoriser les investissements dans ce secteur.
Les conseils de la Banque mondiale auront une influence certaine sur l'orientation de la politique touristique marocaine. D'abord au niveau des priorités économiques : le tourisme vient en tête des secteurs

---

chacune des institutions se présente ainsi: BIRD: créée en 1945 dans le but d'aider à reconstruire et développer les économies décimées par la guerre, la BIRD a comme principale mission « d'aider à relever les niveaux de vie dans les pays en développement en acheminant vers ces pays des ressources financières fournies par les pays développés » (Banque mondiale, *Rapport annuel 1991*); IDA: créée en 1960, elle fournit une aide aux pays en développement (membres de la BIRD) plus pauvres et ce, à des conditions pesant moins lourdement sur leur balance des paiements que les prêts de la BIRD; SFI: constituée en 1956, la SFI a comme premier rôle d'encourager la croissance du secteur privé des pays en développement en les aidant à mobiliser les capitaux à l'intérieur du pays ou à l'étranger.

[131] INTERNATIONAL BANK FOR RECONSTRUCTION AND DEVELOPMENT (IBRD) (1966), *The Economic Development in Morocco*, John Hopkins Press, Baltimore, p. vii.

prioritaires et se classe deuxième dans les plans 1965-1967 et 1968-1972. Ensuite sur des éléments bien précis : comme le suggèrent les experts, les efforts seront concentrés dans des régions prioritaires (ZAP), l'État encouragera (via le crédit hôtelier et les Codes des investissements touristiques) le secteur privé national et étranger à investir, notamment dans l'hôtellerie et, en l'absence de ce dernier, il (l'État) investira lui-même.
Enfin, plusieurs autres recommandations portant autant sur le rôle de l'État en matière de promotion ou de gestion hôtelière (envisager des contrats de gestion avec des chaînes internationales) que sur la formation du personnel, les modes de transport ou le développement des infrastructures de base (routes, réseau d'aqueduc, réseau électrique, télécommunications, etc.) ne servant pas uniquement au tourisme mais à toute l'économie, auront à divers degrés des impacts sur la politique touristique[132].
L'ensemble de ces recommandations est conforme aux intérêts et à la mission de la Banque mondiale, notamment en ce qui a trait à la mise en place de conditions favorables aux investisseurs privés marocains et étrangers. Pour s'assurer de résultats probants, la Banque poursuivra son action par un soutien financier actif.

Un soutien financier actif

Le soutien financier de la Banque mondiale et de la SFI, a consisté en l'octroi de sept lignes de crédits. Presque toutes ont été accordées au Crédit immobilier et hôtelier du Maroc (CIH). Une seule, la première, fût accordée à la Banque nationale pour le développement économique (BNDE)[133]. Les prêts octroyés au CIH depuis 1970 se sont élevés à 292 millions $US comme on peut le voir au tableau 3.

---

[132] Cela ne signifie pas pour autant que cette politique soit celle de la Banque mondiale. Bien que cette dernière ait effectivement eu une influence sur les orientations du plan 1965-1967, il faut préciser que ce plan fut adopté avant que la mission d'experts ne soit terminée et que les recommandations « officielles » n'aient été faites. Dans le rapport de cette mission, on affirme d'ailleurs, en parlant de la valeur économique du tourisme, que l'État marocain a vu juste en accordant une grande priorité au secteur touristique dans son plan triennal (1965-1967).

[133] Il s'agit ici des prêts consacrés exclusivement au secteur du tourisme, d'autres prêts ayant pu servir de façon non-exclusive à ce secteur. Ainsi en 1983 et 1985, la SFI a accordé à la BNDE deux prêts destinés au financement du développement pour lesquels nous ne sommes pas en mesure de dire si une part fut dirigée vers le secteur touristique. De plus, nous ne tenons pas compte des prêts consentis pour le projet d'aménagement de la baie d'Agadir qui fera l'objet de la prochaine section. Ce projet de type « intégré » comportait plusieurs volets dont celui du tourisme.

TABLEAU 3
Prêts octroyés par la Banque mondiale et la SFI au CIH pour le secteur du tourisme

No du prêt	Origine du financement	Montant du prêt (millions $US)	Année de l'octroi
1	Banque mondiale	10	1970
2	Banque mondiale	15	1972
3	Banque mondiale	25	1976
4	Banque mondiale	100	1981
5	SFI	50*	1987
6	SFI	92**	1989

Source : *Rapports annuels du CIH.*

Notes :
* La moitié du montant provient de prêts effectués par neuf banques.
** 52 millions proviennent de prêts consentis par des banques commerciales.

L'objectif général des prêts a toujours été de fournir une aide à l'État marocain pour qu'il puisse davantage développer un secteur déclaré prioritaire. Mais, derrière cet objectif global, des objectifs plus spécifiques apparaissent. Tel est le cas des prêts « 2 » et « 3 » (voir tableau 3) accordés par la Banque mondiale. Ces derniers visent à financer les composantes importées, à faciliter la mobilisation d'autres ressources étrangères, à assister le CIH en matière d'évaluation économique et financière et à fournir une aide au ministère du Tourisme dans la définition de sa politique touristique et la révision de son système d'incitation à l'investissement[134].
Il en est de même pour la SFI qui prend la relève dans les années 1980. Sa stratégie de promotion du développement du secteur touristique au Maroc repose sur la recherche d'occasions d'investissements, particulièrement pour les projets complexes, et sur l'aide accordée au CIH afin qu'il puisse diversifier ses sources de financement et mobiliser des ressources en devises étrangères sur

[134] Selon un rapport de la Banque mondiale.

les marchés de capitaux internationaux à une période où l'accès y est très restreint pour le Maroc[135].
L'octroi de ces prêts au CIH n'est toutefois pas sans conditions. Les projets destinés à promouvoir le capital privé dans la mise en valeur du patrimoine touristique marocain, doivent répondre à des critères de rentabilité et de productivité[136].
Pour la SFI, qui n'apporte son concours financier qu'à des entreprises privées, les conditions sont aussi bien établies en matière de financement de projets touristiques :

> Tourism projects must satisfy IFC's criteria for investment, including the requirements that they be sound from both a business and a developmental viewpoint, that adequate private capital is not available on reasonable terms, and that there is local participation in the enterprise, which must be predominantly privately owned.[137]

Quant à la participation commune des capitaux étrangers et locaux aux divers projets, les règles du jeu se définissent ainsi :

> The rule is that, in financing enterprises in the developing countries, the most effective structure is one in which local finance and management are combined with foreign finance and management.[138]

En faisant en sorte que l'État marocain recoure aux investissements étrangers, le Groupe de la Banque mondiale contribue à l'expansion de l'industrie touristique internationale, un secteur de l'économie mondiale en pleine croissance. De plus, parce qu'il insiste sur la participation du capital privé marocain, il fait la promotion du développement d'un capitalisme autochtone, ce qui constitue un moyen on ne peut plus efficace pour favoriser une plus grande insertion de l'économie marocaine dans l'économie mondiale.

---

[135] Selon un rapport de la SFI.
[136] Le critère de productivité réfère ici à tout ce qui peut contribuer au bien-être économique, par exemple lorsque les réalisations d'une entreprise conduisent à un accroissement du PNB par habitant.
[137] INTERNATIONAL FINANCE CORPORATION (IFC) (1971), *IFC in Africa*, p. 39.
[138] IFC (1969), *Tourism's Role in Economic Development*, an address by James S. Raj, Vice-President-IFC, to the Council of the International Hotel Association, May 15, Dublin, Ireland, p. 7.

III- POLITIQUE ET PLANIFICATION DU TOURISME AU MAROC

Au Maroc, la politique économique est principalement esquissée dans les plans (indicatifs) de développement, il en va de même du secteur touristique. En tant que politique sectorielle, on détermine dans le cadre de chaque plan triennal ou quinquennal, les grandes orientations, les objectifs à atteindre et les moyens à mettre en oeuvre pour réaliser ces objectifs. Exprimés en nombre de touristes, en recettes touristiques, en investissements hôteliers, en nombre de lits créés, en nouveaux emplois ou en personnel nouvellement formé, les résultats de la politique touristique font l'objet d'évaluation (du taux de réalisation) dont on rend compte dans chaque nouveau plan.
C'est avec ces paramètres que nous retraçons l'évolution de la politique touristique à travers les plans de développement économique et social, en prenant soin de la situer dans le contexte socio-économique et politique national et international. Un bilan des réalisations de la politique touristique depuis les années 1960 jusqu'à la fin des années 1980 termine cette section, où l'on fait également état de la part du tourisme dans l'économie marocaine et des principales carences de la politique en matière de tourisme.

9- Le tourisme, fer de lance de la politique économique libérale : 1965-1972

Au cours de la période 1965-1972, le tourisme constitue un des fers de lance de la politique économique libérale marocaine. Nouveau venu parmi les secteurs prioritaires nationaux - il est deuxième après l'agriculture - le tourisme verra sa part des investissements augmenter de façon importante (de 1,4 % pour 1960-1964 à 6,4 % et 6,8 % pour 1965-1967 et 1968-1972). Considéré comme facteur de développement et prometteur quant à ses retombées économiques, c'est un secteur dans lequel l'État interviendra en prenant tous les moyens à sa disposition pour assurer le « décollage » de l'industrie du tourisme au Maroc.

Le lancement de la politique touristique

Le plan triennal 1965-1967, présenté comme un plan de stabilisation, marque le début d'une nouvelle phase dans l'évolution de la politique économique marocaine. La crise budgétaire et financière de 1964 (chute des avoirs extérieurs, déficit budgétaire et dégradation de la balance des paiements) et l'entrée en scène des institutions internationales, dont la Banque mondiale, « force » le Maroc à prendre le virage du libéralisme économique. L'ordre des priorités n'est plus le même et l'État tente de modifier son rôle : « L'industrie

n'est plus une priorité. Elle vient après l'agriculture, le tourisme et la formation des cadres. Le rôle de l'État est désormais défini comme un rôle d'incitation, de création et d'aménagement des conditions permissives de l'investissement privé » [139].
Le choix du tourisme comme priorité nationale modifie la conception que les autorités marocaines avaient sur le rôle de ce secteur dans l'économie. Désormais, « en matière de tourisme, de la recherche de l'équilibre de la balance des comptes par le biais du tourisme [...] l'objectif devient le développement, par le biais du tourisme » [140]. C'est ce changement profond qui permet l'émergence d'une politique touristique active.
Les orientations de base de la politique touristique portent sur quatre aspects : l'encouragement aux initiatives privées, l'intervention du secteur public au niveau du financement et de la réalisation des travaux d'infrastructure, la politique de zones à aménagement prioritaires (ZAP) et la formation des cadres nationaux. Au niveau du secteur privé, l'État définit le tourisme comme « industrie de base » [141], permettant ainsi aux sociétés de pouvoir officiellement bénéficier des dispositions du Code des investissements de 1960 (en pratique, cela se fait depuis 1963) et d'être favorisées « [...] par d'autres mesures tant au niveau de la construction et de l'équipement des unités d'hébergement des touristes que de leur gestion (dispositions fiscales) » [142].
L'État qui est pratiquement le seul à investir dans le secteur du tourisme à cette époque, que ce soit directement ou via ses sociétés parapubliques (ONMT, ONCF, Maroc-Tourist, SOMADET), se dote de moyens institutionnels, en procédant entre autres à la création du ministère du Tourisme en 1965, et de moyens juridiques avec la création de ces nouvelles zones d'aménagement prioritaires (ZAP) parmi lesquelles on retrouve la station balnéaire d'Agadir et le circuit des villes impériales (Marrakech, Rabat, Fès et Meknès). Déterminées en fonction de ce que recherchent les touristes et de certains autres critères comme la facilité d'accès et la renommée de la zone, les ZAP constituent des endroits privilégiés où l'on entend concentrer le développement touristique.
Les objectifs assignés à la politique touristique dans le cadre du plan triennal 1965-1967 concernent tout d'abord, au niveau de l'offre, la construction à un rythme « suffisant » de nouvelles capacités

---

[139] Habib EL MALKI (1989), *Trente ans d'économie marocaine, 1960-1990*, Éditions du CNRS, Paris, p. 18.
[140] Hassan SEBBAR (1975), « Tourisme et développement: le cas du Maroc », *Bulletin économique et social du Maroc*, no 127, Rabat, pp. 72-73.
[141] Arrêté conjoint des membres des finances et du tourisme, no 327-67 du 4 juillet 1967.
[142] Hassan SEBBAR, *Bilan d'une politique touristique. L'exemple du Maroc*, *op. cit.*, p. 45.

d'hébergement (20 000 nouveaux lits), le recrutement et la formation du personnel hôtelier (8000 emplois nouveaux) et la coordination « vigoureuse » du développement des entreprises intéressées (agences de voyages, transporteurs). Au niveau de la demande, on vise 700 000 touristes en 1967 et la réalisation de 8,5 millions de nuitées[143]. Qu'en a-t-il résulté?
L'exécution du plan triennal dans le secteur du tourisme est satisfaisante, même si les objectifs ne sont pas atteints entièrement. Le tableau suivant, établi à partir des données provenant du plan quinquennal 1968-1972, le montre clairement.

TABLEAU 4
Prévisions et réalisations du plan triennal 1965-1967

Sous-secteurs	Objectifs	Résultats	% de réalisation
Nombre de touristes en 1967	700000	500000	71 %
Investissements hôteliers (en millions de DH)	327	295	90 %
Infrastructures touristiques (en millions de DH)	57	42	74 %
Emplois	8000	1500	19 %
Lits créés	20000	8000	40 %

Source : Ministère des Affaires économiques, du Plan et de la Formation des cadres, *Plan quinquennal 1968-1972*, Rabat.

L'importance du taux de réalisation en matière d'investissements hôteliers (90 %) - malgré un taux de réalisation de seulement 40 % en terme de lits créés pouvant être expliqués par une sous-estimation des coûts de construction -, confirme l'effort accru de la CPIM, devenu le Crédit immobilier et hôtelier (CIH) en 1967. En effet, les prêts

143 DÉLÉGATION GÉNÉRALE À LA PROMOTION NATIONALE ET AU PLAN, Division de la coordination économique et du plan (1965), *Plan triennal 1965-1967*, Rabat, pp. 138-140.

réalisés dans le secteur hôtelier entre 1965 et 1967 se sont élevés à 69 866 000 DH[144], ce qui représente un accroissement de 1151 % par rapport au montant des prêts réalisés au cours de la période 1960-1964, soit seulement 5 587 000 DH. Durant cette période triennale, les investissements dans des projets hôteliers seront essentiellement assurés par les secteurs public et parapublic ; le secteur privé ne devant contribuer que pour 27 % de l'ensemble des investissements[145].

Malgré un taux général de réalisations relativement faible (53 %) du point de vue des recettes, de la création des emplois et des nuitées[146], les autorités poursuivront sur la même voie dans le cadre du plan quinquennal 1968-1972. Nous y lisons d'ailleurs que :

> le mérite essentiel (du plan 1965-1967) est d'avoir déclenché la mobilisation de l'intérêt général et des moyens, d'avoir commencé à canaliser et ordonner les initiatives mises en oeuvre et fourni une base sérieuse pour une poursuite concertée et organisée des efforts pour l'avenir.[147]

Le tourisme, un secteur prioritaire où l'État affirme son leadership

Le plan quinquennal 1968-1972 continue le précédent. Les priorités demeurent les mêmes avec l'agriculture au premier rang, suivi du tourisme et de la formation des cadres. L'État marocain, en réaffirmant le caractère prioritaire du tourisme, dont la part prévue dans les investissements passera de 6,4 % à 6,8 %, attribue à ce secteur non seulement un rôle essentiel pour le développement du pays, mais aussi une nouvelle fonction, celle « de contribuer substantiellement à alléger le fardeau que constitue la dette de l'aide extérieure » [148].

Certains problèmes liés au produit touristique marocain (un produit relativement cher et non compétitif, une hôtellerie trop luxueuse et peu accessible) amèneront les autorités à axer la politique touristique, lors de ce quinquennat, sur « le développement des équipements

---

144 CRÉDIT IMMOBILIER ET HÔTELIER (1968), *Rapport annuel pour l'exercice 1967*, Casablanca, p. 12.

145 DÉLÉGATION GÉNÉRALE À LA PROMOTION NATIONALE ET AU PLAN, Division de la coordination économique et du plan, *op. cit.*, p. 154.

146 Comme l'affirme Mimoun HILLALI, *op. cit.*, p. 111, ce taux est relativement faible lorsqu'on le compare aux taux de réalisations dans les autres secteurs de l'économie nationale qui ont atteint 77 % pour l'infrastructure, 64 % pour l'industrie et 59 % pour l'agriculture.

147 MINISTERE DES AFFAIRES ÉCONOMIQUES, DU PLAN ET DE LA FORMATION DES CADRES, Division de la coordination économique et du plan, *Plan quinquennal 1968-1972*, vol. II: Tourisme, Rabat, n.d., p. 183.

148 Hassan SEBBAR, *Bilan d'une politique touristique. L'exemple du Maroc*, *op. cit.*, p. 49.

hôteliers de catégories moyennes de façon à favoriser une large diffusion du tourisme »[149]. Aussi, l'État entend-il poursuivre son rôle moteur dans ce domaine, « en prenant l'initiative dans les zones qu'il aménage et en se substituant au secteur privé lorsque celui-ci est défaillant »[150]. Enfin, c'est principalement dans les ZAP, définies dans le cadre du dernier plan, que les efforts seront concentrés.

À la formulation d'objectifs qualifiés « d'ambitieux » dans ce plan, correspondront des résultats encourageants[151]. Tout d'abord au niveau des arrivées de touristes, l'objectif fixé d'en recevoir 1 150 000 en 1972, sera atteint dans une proportion de 98 %, le Maroc ayant enregistré 1 133 000 touristes au cours de cette année. Avec une progression annuelle moyenne de l'ordre de 17 %, il s'agit d'un accroissement de 193 % depuis 1968 alors que le Royaume accueillait 587 961 touristes. En terme de recettes « réelles » , elles se seraient élevées à 3,169 millions de DH[152], dépassant ainsi, avec un taux de réalisation de 131 %, l'objectif visé de 2,420 millions de DH. Au chapitre de l'évolution de la capacité d'hébergement hôtelier, les planificateurs ont prévu la création de 30 183 lits supplémentaires dont 69 % dans les ZAP. On se rappellera qu'en plus d'augmenter la capacité d'hébergement, on modifie la structure de l'hébergement, afin de mieux répondre aux besoins de la clientèle qui est visée. À cette fin, l'accent sera mis sur les hôtels de catégories moyennes et les investissements orientés vers ce type de catégories. Pour atteindre ce but, il est prévu que la participation[153] des secteurs public, semi-public et privé sera respectivement de 8 %, 38 % et 54 % (voir tableau 5). Cette répartition envisagée par l'État n'est pas sans signification selon M. Hillali :

> En réservant au secteur privé (54 %) des objectifs en matière d'hébergement, l'État pense faire de ce plan une phase de transition [...] avant de se retirer de la scène. C'est ce qu'il fera à la fin du plan 1973-1977, malheureusement sous la pression d'une conjoncture économique défavorable imprévue, et non pour mission accomplie.[154]

---

[149] MINISTERE DES AFFAIRES ÉCONOMIQUES, DU PLAN ET DE LA FORMATION DES CADRES, Division de la coordination économique et du plan, *op. cit.*, p. 184.

[150] *Ibid.*

[151] À noter que toutes les données chiffrées de cette partie proviennent, sauf indication contraire, du *Plan quinquennal 1968-1972* pour ce qui est des objectifs et du *Plan quinquennal 1973-1977* pour ce qui est des résultats.

[152] À noter que ce chiffre du ministère du Tourisme diverge de celui de l'Office des changes. En considérant ce dernier (1655 millions de DH), on aurait un taux de réalisation de 68 %.

[153] Cette participation n'équivaut pas à la participation financière des divers secteurs comme nous le verrons plus loin dans cette partie.

[154] Mimoun HILLALI, *op. cit.*, p. 113.

TABLEAU 5
Répartition des équipements hôteliers par secteur, pour la période 1968-1972

	Secteur public	Secteur semi-public	Secteur privé	Total (en lits)
Prévisions révisées	2354	11636	16807	30797
Prévisions révisées (%)	8 %	38 %	54 %	100 %
Réalisations	200	3978	13376	17554
Taux de réalisation	8,5 %	34 %	80 %	57 %

Source : Secrétariat d'État au Plan, au Développement régional et à la Formation des cadres, *Plan 1973-1977*, Rabat.

En matière d'équipement hôtelier, l'objectif global sera réalisé à 57 % avec des performances variables selon les différents intervenants comme l'établit le tableau 5. Si pour le secteur privé les résultats sont excellents, il n'en va pas de même pour les secteurs semi-public (34 %) et public (8,5 %). Leur piètre performance peut s'expliquer en bonne partie par une révision à la hausse des objectifs initiaux (au niveau quantitatif) au cours du plan et par certaines complexités et retards administratifs que cela a engendré. Quant aux efforts visant à rééquilibrer la structure de la capacité hôtelière, ils semblent avoir donné quelques résultats, puisque la proportion d'hôtels de luxe (quatre et cinq étoiles) a diminué entre 1968 et 1972 (45 % à 37 %) au profit des hôtels de catégories moyenne et inférieure[155].
Enfin, parmi les objectifs importants à réaliser, on avait visé au niveau de la formation professionnelle la formation de 630 cadres moyens et supérieurs et 6000 employés subalternes. Ces objectifs furent atteints dans des proportions respectives de 73 % et 43 %.
Le rôle de l'État dans la réalisation de la politique touristique au cours de ce quinquennat demeure très important, malgré une participation accrue du secteur privé. Outre ses actions sur le plan administratif,

[155] Voir Hassan SEBBAR, *Bilan d'une politique touristique. L'exemple du Maroc*, *op. cit.*, pp. 50 et 54.

sa politique d'aménagement des ZAP, le développement de la formation professionnelle, la prospection des marchés touristiques et la mise en oeuvre de réformes juridiques et fiscales (dont la réforme du Code des investissements touristiques), c'est surtout au niveau de sa politique de financement en matière d'hébergement hôtelier qu'il est intéressant de voir en quoi consiste le rôle étatique. Le développement et la gestion de l'infrastructure hôtelière sont considérés comme des éléments majeurs de la politique touristique marocaine.

Les auteurs du plan 1968-1972 ont clairement identifié le double rôle de l'État dans ce domaine. Ainsi, en tant qu'investisseur direct, il est dit que :

> L'État intervient comme promoteur dans les zones qu'il aménage : les unités publiques ainsi constituées ont le caractère d'unités modèles, destinées à exercer un effet d'attraction sur les investisseurs privés par la constitution d'une clientèle, et un effet exemplaire par la politique de gestion suivie. L'État intervient également dans le Grand Sud, comme substitut du secteur privé, le coût en infrastructure des projets ponctuels rendant aléatoire les résultats positifs d'un investissement dans cette zone.[156]

En tant qu'agent d'incitation auprès des autres investisseurs, on affirme que :

> L'État fournit un complément financier indispensable à l'apport personnel des promoteurs, sous forme de prime d'équipement représentant 9 % du montant global des investissements hôteliers de la période [et] de manière plus indirecte, l'État intervient dans le financement par le biais du crédit ; celui-ci apparaît comme stratégique puisqu'il financera plus de la moitié du montant global des investissements pour la période.[157]

Il faut noter que le crédit à l'hôtellerie est la source de financement prédominante pour la période 1968-1972.

Avec 57 % du financement, le CIH joue un rôle majeur auprès des secteurs semi-public et privé. Ainsi, bien que ceux-ci soient promoteurs pour respectivement 38 % et 54 % des lits (voir tableau 5), ils ne financeront sur leurs fonds propres que 7 % et 22 %, le complément étant assuré par le crédit du CIH et la prime d'équipement, soit 66 % du total du financement. À cet égard, il faut constater que la charge financière repose beaucoup sur les épaules de l'État.

Cependant, la forte implication du CIH n'est pas étrangère aux prêts obtenus de la BIRD. Cette dernière a en effet consenti au CIH, en juin 1972, une deuxième ligne de crédit de 15 000 000 de dollars qui

---

[156] MINISTERE DES AFFAIRES ÉCONOMIQUES, DU PLAN ET DE LA FORMATION DES CADRES, Division de la coordination économique et du plan, *op. cit.*, p. 207.

[157] *Ibid.*

venait s'ajouter à une première ligne de 10 000 000 de dollars, octroyée en août 1970[158]. Enfin, signalons qu'au cours du plan 1968-1972, les prêts du CIH sont surtout allés vers les investissements de capitaux d'origine marocaine, ceux-ci recevant 68 % des prêts, contre 21 % pour les capitaux d'origine mixte et 11 % pour les capitaux étrangers[159].
Le bilan des réalisations en matière de tourisme, jugé globalement satisfaisant, est un peu à l'image de l'économie marocaine qui s'est relativement bien portée au cours de la période 1968-1972, avec un taux de croissance annuel moyen de 5,6 %, dépassant ainsi les prévisions du plan (4,3 %). Mais, malgré une bonne performance économique, certaines faiblesses demeurent (taux d'investissement plus faible que prévu à cause des deux tentatives de coup d'État militaire en 1971 et 1972, apparition des premières tensions inflationnistes, accentuation des disparités sociales, progression du niveau d'endettement extérieur)[160]. C'est dans ce contexte interne et dans un environnement international qui sera mouvementé que sera lancé le nouveau plan quinquennal 1973-1977. Marqué par une nouvelle approche sur le plan économique, le secteur du tourisme fera l'objet d'un interventionnisme accru de la part de l'État.

10- L'intervention massive de l'État : 1973-1977

Le lancement du plan quinquennal 1973-1977 marque une nouvelle phase dans l'évolution de la politique économique marocaine. Présenté comme un plan de relance, il « [...] s'inscrit dans le cadre d'un modèle volontariste de développement qui consiste à accroître le rythme de la croissance au-delà de ce qu'il a été possible de réaliser jusqu'ici, en se fondant sur une politique claire d'industrialisation tournée vers l'extérieur » [161]. Bien que la priorité nationale de ce plan concerne le développement de l'industrie, les priorités traditionnelles (agriculture, tourisme et formation des cadres) sont maintenues.
Les orientations générales du plan visent principalement à assurer un taux de croissance maximal grâce au développement des secteurs d'exportation et à répartir de façon plus équitable les fruits de cette expansion. Dans ce contexte, on assistera à une « [...] réorientation du comportement de l'État dans le sens d'un interventionnisme plus massif » [162]. La croissance du secteur public, la libéralisation du

---

[158] CRÉDIT IMMOBILIER ET HÔTELIER (1973), *Rapport annuel pour l'exercice 1972*, Casablanca, p. 70.
[159] *Ibid.*, p. 45.
[160] Voir à ce sujet Habib EL MALKI, *Trente ans d'économie marocaine, 1960-1990*, *op. cit.*, pp. 19-20.
[161] Abdelali DOUMOU et Habib EL MALKI, *op. cit.*, p. 157.
[162] Habib EL MALKI, *op. cit.*, p. 21.

Code des investissements et le processus de marocanisation[163] vont constituer les instruments privilégiés de l'État pour mettre à exécution sa politique économique.
Si la vision de l'État marocain apparaît claire quant à l'orientation à adopter au cours de ce quinquennat, elle sera quelque peu brouillée par les conjonctures économiques et politiques qui marqueront cette période. Au niveau international, le plan 1973-1977 sera lancé dans un « [...] environnement international [qui] sera de plus en plus marqué par l'effondrement du système monétaire international, la forte récession des économies industrialisées et "la crise de l'énergie" » [164]. Sur le plan interne, la hausse spectaculaire, suivie d'une chute presque aussi brutale du cours des phosphates, et la récupération du Sahara occidental auront des répercussions importantes sur la situation économique et politique marocaine.
Le tourisme continue donc de représenter une option prioritaire du plan[165], même si l'industrie est au coeur des priorités de l'État : officiellement, pour promouvoir les exportations de produits manufacturés afin de contrer l'étroitesse du marché intérieur qui ne permet pas un développement suffisant de l'industrie ; de façon non officielle, pour les devises devant servir à résorber la dette croissante du Maroc[166].
Les grandes orientations de la politique touristique au cours de ce plan consistent « [...] à favoriser un tourisme de masse (sans être tributaire de ce seul type), à diversifier la clientèle, à régionaliser les effets du tourisme et à améliorer son apport sur le plan national » [167]. Les objectifs économiques et financiers (voir tableau 6) assignés à ce plan s'appuient sur un accroissement de l'offre touristique où il importe de développer le transport à grande capacité et les centres de loisirs bien équipés dans certaines régions bien déterminées ; une

---

[163] Le processus de marocanisation duquel a entre autre été exclu le secteur du tourisme, a pris force de loi par le dahir du 2 mars 1973. Il vise, « [...] sur un plan opérationnel, la prise en main progressive par des Marocains des centres de décision économique afin que les efforts d'extension du secteur moderne permettent d'amorcer la croissance ». Abdelali Doumou et Habib El Malki, *op. cit.*, p. 159.
[164] Habib EL MALKI, *op. cit.*, p. 20.
[165] Selon Habib EL MALKI, *op. cit.*, p.28, le programme d'investissements prévu dans ce secteur s'élève à 1,7 milliards de DH par rapport à 806,9 millions de DH lors du quinquennat précédent.
[166] Selon Habib EL MALKI, *op. cit.*, p. 20: « En 1972, le taux d'endettement (encours de la dette/le PIB) était de 24,4 % contre 21,4 % en 1968, et le coefficient d'endettement (service de la dette/recettes d'exportations de biens et services) est passé de 8,6 % à 9,4 % - pendant la même période ».
[167] SECRÉTARIAT D'ÉTAT AU PLAN, AU DÉVELOPPEMENT RÉGIONAL ET À LA FORMATION DES CADRES, Direction du plan et du développement régional, *Plan de développement économique et social 1973-1977*, vol. II: Tourisme, Rabat, n.d., p. 276.

concentration étant nécessaire afin d'assurer la rentabilisation de l'infrastructure et la commercialisation du « produit Maroc » [168].

L'État ne ménage pas ses efforts pour la mise en oeuvre de sa politique touristique. Parmi les mesures importantes, il faut d'abord mentionner la promulgation du premier véritable Code des investissements touristiques en 1973 qui amène un élargissement des catégories d'entreprises pouvant bénéficier d'avantages adaptés aux particularités du secteur touristique (voir section 7).

Le développement du secteur touristique s'inscrit aussi, tout comme les autres secteurs, dans la nouvelle politique de développement régional mise de l'avant dans le cadre du plan 1973-1977. En découpant le Royaume en sept régions économiques, l'État entend prendre en compte les caractéristiques démographiques, économiques et sociales de chacune de ces régions afin d'assurer un développement équilibré.

L'interventionnisme accru de l'État qui, « [...] tant pour l'hébergement que pour l'aménagement [...] prendra à sa charge tout ou partie des investissements que le secteur privé ne peut assumer » [169], se manifestera également au niveau des sociétés publiques et semi-publiques qui prendront de nouvelles responsabilités et une certaine expansion. Ainsi, en 1975, l'ONMT fera l'objet d'une réforme qui lui confère le statut d'établissement public à caractère industriel et commercial et qui lui assigne de nouvelles missions à savoir :

- « la réalisation, l'aménagement et la gestion de tous les équipements concourant au développement du tourisme, notamment dans les domaines de l'hébergement, de la restauration, de l'animation et des transports » [170] ;
- « la prise de participations financières dans les entreprises ou sociétés en relation avec l'activité touristique » [171].

Il en est de même du CIH qui, à partir de 1973, ne jouera plus uniquement son rôle d'institution de financement, mais agira en tant que Banque de développement, ce qui l'amènera à être à l'origine de la création de plusieurs sociétés filiales dont certaines dans le secteur du tourisme. Le CIH pourra d'ailleurs compter sur un troisième prêt de 25 millions de dollars, octroyé par la BIRD en 1976, pour financer ses divers projets touristiques.

Enfin, au niveau des opérations d'aménagement, la présence de l'État sera signalée par la création en 1973, de la Société nationale d'aménagement touristique de la baie d'Agadir (SONABA) qui, tout

---

[168] *Ibid.*

[169] SECRÉTARIAT D'ÉTAT AU PLAN, AU DÉVELOPPEMENT RÉGIONAL ET À LA FORMATION DES CADRES, Direction du plan et du développement régional, *op. cit.*, p. 281.

[170] ONMT, *L'évolution du tourisme marocain*, *op. cit.*, p. 27.

[171] *Ibid.*

comme pour la SNABT à Tanger, aura pour mission la mise en valeur du potentiel touristique de cette station balnéaire. La SONABA pourra aussi compter sur l'appui financier de la Banque mondiale qui lui accordera un prêt en 1976.
Finalement, l'État entreprendra au cours du quinquennat plusieurs études touristiques dont une des plus importantes est sans nul doute la réalisation du Master Plan touristique. Confiée à une firme allemande, cette étude qui « [...] porte sur la demande touristique internationale, sur l'offre des pays concurrents, sur les potentialités de développement de l'offre touristique marocaine et sur les perspectives du développement du tourisme au Maroc » [172], constitue en quelque sorte le schéma directeur du tourisme marocain.
Le bilan quantitatif (voir tableau 6) de la politique touristique pour ce quinquennat nous démontre que les événements conjoncturels ayant marqué cette période, ont quelque peu compromis les résultats escomptés.
Au niveau des arrivées de touristes au Maroc, bien que le taux de réalisation global soit relativement bon (74 %), tout comme celui des recettes (75 %)[173], ils ne traduisent pas la chute du nombre de touristes entre 1973 et 1976, le taux de réalisation étant passé de 120 % à 56 %. Cette diminution des entrées touristiques « [...] n'est que le reflet de l'intensité - et qui dit intensité dit évolution - de la crise mondiale, qui secoue en premier lieu les pays développés [... qui] sont entrés dans une ère de restriction et d'austérité » [174].
Concernant l'évolution de la capacité d'hébergement hôtelier, l'objectif ambitieux de disposer de 50 000 nouveaux lits est loin d'être atteint. Seulement 22 % de ces lits seront installés. Cette performance décevante l'est d'autant plus pour les autorités marocaines que le secteur privé ne réalisera que 30 % de l'objectif qui lui avait été assigné (62,5 %) « [...] et ce, en dépit des avantages qui lui sont réservés dans le cadre du Code des investissements » [175]. Le secteur privé et le secteur semi-public, qui n'a guère fait mieux, ont donc été fortement influencés par l'évolution de la conjoncture

---

[172] Leyla BEMNANI-SMIRES (1978), *Tourisme et développement: le cas du Maroc*, Institut d'Études Politiques, Aix-en-Provence, p. 57.

[173] Le ventilation des dépenses du tourisme international en 1977 démontre que 26 % des recettes sont allées au secteur hôtelier, 37 % au secteur de l'artisanat et 37 % aux autres secteurs de l'économie, alors que le tourisme intérieur aurait contribué aux recettes du secteur hôtelier pour environ 18 %. Voir MINISTÈRE DU TOURISME (1977), Division des études, *Plan quinquennal 1978-1982* (devenu Plan triennal 1978-1980), rapport de synthèse de la Commission nationale du tourisme, Rabat, p. 54.

[174] Mimoun HILLALI, *op. cit.*, p. 129.

[175] SECRÉTARIAT D'ÉTAT AU PLAN, AU DÉVELOPPEMENT RÉGIONAL ET À LA FORMATION DES CADRES, Direction du plan et du développement régional, *Plan de développement économique et social 1978-1980*, vol. II: Le développement sectoriel, Rabat, n.d., p. 185.

économique ainsi que par le processus de marocanisation qui aurait eu comme effet de drainer une grande partie de l'épargne vers d'autres secteurs de l'activité économique.
Notons enfin que sur le plan régional, un certain déséquilibre persiste toujours alors que trois régions économiques (Sud, Nord-Ouest et Centre) accapareront près de 90 % de la nouvelle capacité hôtelière.
Si l'évolution des arrivées de touristes au cours du quinquennat a démontré une réelle dépendance du Maroc envers les pays développés, les recettes touristiques (plus d'un demi-millard de DH au cours du plan) ont toutefois constitué avec les transferts des travailleurs marocains à l'étranger (TME) « [...] des flux financiers ayant une place stratégique dans la structure de la balance des paiements et un effet fortement équilibrant » [176].

TABLEAU 6
Prévisions et réalisations du plan quinquennal 1973-1977

Sous-secteurs	Objectifs	Résultats	% de réalisation
Nombre de touristes entre 1973 et 1977	9344000	6881000	74 %
Recettes touristiques (en millions de DH)	8058	~6000	75 %
Formation professionnelle :			
- cadres supérieurs et moyens	960	700	73 %
- agents spécialisés	2500	1031	44 %
Lits créés :			
- secteur public	2500	1293	52 %
- secteur semi-public	17500	846	5 %
- secteur privé	30000	9006	30 %
Total	50000	11145	22 %

Source : Secrétariat d'État au Plan, au Développement régional et à la Formation des cadres, *Plan 1978-1980*, Rabat.

176 Habib EL MALKI, *op. cit.*, p. 147.

À la fin du plan 1973-1977 l'économie marocaine, dont le PIB croît en moyenne de 6,8 % par an, sera fortement affectée par l'aggravation de son déficit commercial, le retournement de la conjoncture phosphatière (rechute des prix) et par un niveau d'endettement externe qui ira en s'accroissant ainsi qu'un taux de chômage et d'inflation à la hausse.
Les planificateurs élaborent alors un nouveau plan présenté comme « un plan de transition et de réflexion » . Avec le plan 1978-1980, l'économie marocaine entre dans une nouvelle phase qualifiée de « phase de crise et de gestion de la crise » .

11- Le désengagement de l'État du secteur touristique : 1978-1990

La fin des années 1970 marque un tournant majeur dans le rôle de l'État marocain. Confronté à une situation économique de plus en plus difficile, l'État n'a plus les moyens d'investir comme auparavant. Sa marge de manoeuvre est d'autant plus réduite qu'il doit se soumettre aux exigences des institutions financières internationales qui dictent maintenant les règles du jeu via le programme d'ajustement structurel en vigueur à partir de 1983.
Dès lors, on assiste à un certain désengagement de l'État au profit du secteur privé. Le secteur touristique, qui n'a plus la même cote dans l'ordre des priorités, n'est pas épargné par ce mouvement de privatisation. Mais, toute crise a ses bons côtés : dans le domaine du tourisme, ils se traduiront par de nouvelles mesures destinées à diversifier le produit et la clientèle touristiques.

Le tourisme dans un contexte de crise. Le plan 1978-1980

Présenté comme un plan de stabilisation, le plan triennal[177] 1978-1980 sera lancé dans un contexte de déséquilibres fondamentaux. Au niveau interne, ils se traduisent par :

- la baisse des revenus phosphatiers, doublée d'une hausse de la facture pétrolière appelée à augmenter à nouveau avec le second choc pétrolier en 1979 ;
- la faiblesse des récoltes céréalières au cours du quinquennat précédent, réduisant ainsi le taux de croissance de l'agriculture ;
- le coût financier supporté par l'État pour la récupération du Sahara marocain ;

---

[177] À noter qu'initialement, il devait y avoir un plan quinquennal (1978-1982), mais qu'en raison de la chute du cours des phosphates, on l'a remplacé par un plan de trois ans permettant ainsi de réduire les investissements publics.

- « l'aggravation des distorsions entre les objectifs et les moyens de la politique économique » [178], alors qu'au niveau externe, ils se caractérisent par :
- « l'aggravation de la crise économique et financière mondiale qui conduisit à l'adoption par les nations industrialisées d'une politique extérieure protectionniste (caducité des accords de 1976 qui lient le Maroc à la CEE) ;
- le dérèglement des mécanismes monétaires ;
- la désagrégation du système monétaire international ;
- l'accentuation de l'endettement du tiers monde » [179].

Pour faire face à cette situation, les objectifs majeurs assignés à ce plan visent « [...] à rétablir les équilibres économiques et financiers fondamentaux (réduction des dépenses du secteur public, imposition d'une réglementation plus stricte pour les importations) et à poursuivre l'action sociale dans le cadre d'une répartition plus équitable des fruits de la croissance » [180]. Les grandes priorités de ce plan, dont le taux de croissance escompté est fixé à 4,6 %, demeurent les mêmes que pour le plan précédent (agriculture d'exportation, développement industriel, formation des cadres et tourisme) avec toutefois une emphase particulière pour la défense nationale qui accapare plus de 25 % des investissements publics.

Le rôle de l'État en matière de tourisme sera caractérisé, à la lumière des grands objectifs de ce plan, par un certain effacement au profit du secteur privé. Ainsi, alors qu'on prévoit des investissements de l'ordre de 800 millions de DH dans le secteur touristique entre 1978 et 1980, le secteur public n'entend assumer que 9,4 % du total de ces investissements (75 millions de DH) ; laissant le soin au secteur privé de compléter le tout[181]. De plus, à partir de 1978, l'État décide véritablement « [...] de ne plus intervenir directement dans l'édification et la gestion d'établissements touristiques et de tout mettre en oeuvre pour faciliter la concrétisation des initiatives du secteur privé » [182]. Ce désengagement progressif du secteur public en faveur du secteur privé et la nécessité d'une nouvelle division des tâches sont imposés d'une part, par des charges trop importantes de l'État et, d'autre part, par son incapacité à maîtriser la demande touristique fortement conditionnée par la situation socio-économique des pays industrialisés et le rôle des « tours operators » . Enfin,

---

[178] Habib EL MALKI, *op. cit.*, p. 149.

[179] Abdelali DOUMOU et Habib EL MALKI, *op. cit.*, p. 160.

[180] *Ibid.*, pp. 160-161.

[181] Voir le tableau des « investissements bruts » in SECRÉTARIAT D'ÉTAT AU PLAN, AU DÉVELOPPEMENT RÉGIONAL ET À LA FORMATION DES CADRES, Direction du plan et du développement régional, *Plan de développement économique et social 1978-1980*, vol. I, Rabat, n.d., p. 175.

[182] Khalid TIJANI (1987), « La politique touristique du Maroc », *Espaces*, no 86, juin, p. 23.

l'allègement des charges de l'État ne se manifeste pas uniquement par un certain « retrait » , mais aussi par l'adoption de certaines mesures destinées à renflouer ses coffres, telles l'instauration d'une taxe de séjour destinée à financer la promotion touristique et la taxe de formation de 1 % sur la masse salariale, taxe consacrée à la formation professionnelle.
Ces décisions de l'État se reflètent dans le budget d'investissement. La part du tourisme ne représente que 2,2 % de ce total (800 millions de DH). Le repli du secteur touristique est encore plus apparent si on prend en compte les réalisations obtenues au terme du plan. Les données du tableau 7 sont explicites.

TABLEAU 7
Prévisions et réalisations du plan triennal 1978-1980

Sous-secteurs	Objectifs	Résultats	% de réalisation
Nombre de touristes entre 1978 et 1980	5212000	4633000	89 %
Recettes touristiques (en millions de DH)	5774	5210	90 %
Formation professionnelle :			
- cadres supérieurs et moyens	1010	737	73 %
- agents spécialisés	1120	220	20 %
Lits créés :			
- secteur public	642	320	50 %
- secteur semi-public	3574	2776	78 %
- secteur privé	14773	5421	37 %
Total	18989	8517	45 %

Source : Ministère du Plan, de la Formation des cadres et de la Formation professionnelle, *Plan 1981-1985*, Rabat.

Le caractère modeste des objectifs se traduit autant au niveau du nombre des arrivées de touristes (pour 1978, la première année du plan, on a prévu 1,5 millions de touristes alors qu'en 1977, la dernière année du plan précédent, on en avait prévu 2,7 millions)

qu'au niveau de la capacité hôtelière à réaliser (pour 1978, on a prévu la construction de 5617 nouveaux lits, alors qu'en 1977, les prévisions du dernier plan fixaient cet objectif à 16 050 nouveaux lits).
Ainsi, au chapitre des arrivées de touristes, même si l'objectif du plan fut atteint dans une proportion de 89 %, il cache certaines caractéristiques des touristes, faisant état d'un taux de retour ne dépassant pas 32 %, d'une durée moyenne de séjour de 10 jours, d'un taux moyen de fréquentation (nombre de nuitées réalisées en lits occupés par rapport au nombre de lits disponibles) de 44 % et d'un taux moyen d'occupation (nombre de chambres occupées sur nombre total de chambres offertes) de 57 %[183].
Du côté de l'hébergement touristique[184], sur les 18 989 lits supplémentaires prévus, seulement 8517 (45 %) ont été fournis. Bien que le secteur privé n'ait réalisé que 37 % de son programme, il n'en demeure pas moins qu'il aura contribué à pourvoir 64 % des nouveaux lits, ce qui confirme une plus grande participation de ce secteur auquel on avait réservé 70 % des investissements totaux en matière d'hébergement. Enfin, il faut souligner que sur le plan régional, 72 % des nouvelles réalisations seront concentrées dans le Sud marocain (régions de Marrakech et d'Agadir) et que sur le plan de la structure hôtelière, le discours voulant qu'on s'oriente davantage vers des hôtels plus accessibles pour le tourisme intérieur ne semble pas « coller » à la réalité, les objectifs du plan n'ayant prévu que 5,3 % de la nouvelle capacité pour les catégories inférieures (une et deux étoiles).
Sur un plan qualitatif et global, il semble que la réalisation de la politique touristique soit à l'image du plan de stabilisation dont l'exécution se traduira par un coût social élevé : progression rapide du chômage, détérioration du niveau de vie, recul de la croissance économique (augmentation du PIB de 3,5 % par an par rapport à 6,8 % lors du plan précédent) et chute des investissements publics n'ayant pu être compensés par le dynamisme du secteur privé[185].
C'est ce qui fait dire aux auteurs du plan 1981-1985 que « dans l'ensemble, les réalisations [...] ont été peu satisfaisantes [et que cela] s'explique en partie par la conjoncture économique mondiale difficile mais également par des défaillances dans certains domaines

---

[183] MINISTÈRE DU PLAN, DE LA FORMATION DES CADRES ET DE LA FORMATION PROFESSIONNELLE, Direction de la planification, *Plan de développement économique et social 1981-1985*, vol. II: Le développement sectoriel, Rabat, n.d., pp. 504-507.
[184] *Ibid.*, pp. 508-509.
[185] Voir Habib EL MALKI, *op. cit.*, pp. 154-156.

tels que la publicité, l'animation, l'accueil et l'exploitation des saisons touristiques »[186].
La situation socio-économique dans laquelle se retrouve le Maroc et le désengagement de l'État de plusieurs secteurs auront des conséquences sur la place du tourisme. Désormais, il « [...] n'est plus le secteur prioritaire qui canalise les efforts de l'État »[187].

Le plan 1981-1985

Le plan quinquennal 1981-1985, initialement conçu comme un « plan de relance » de la croissance économique, ne fera en fait que poursuivre la politique économique de stabilisation entreprise lors de la période précédente, la conjoncture interne et externe étant défavorable à une politique de relance[188].
Ce plan visait à mettre davantage l'accent sur les aspects qualitatifs du développement et considérait « [...] la promotion d'une culture nationale moderne [...] comme l'un des leviers du développement »[189]. Ayant comme principales caractéristiques « la relance économique et la restauration des équilibres fondamentaux » et comme principales priorités la formation professionnelle et celle des cadres, ainsi que la sécurité alimentaire et énergétique (l'objectif étant de réduire la dépendance du Royaume), ce plan définissait le rôle de l'État comme étant celui d'un « arbitre et orienteur du développement [...] appelé à renforcer son interventionnisme concernant l'infrastructure de base, à titre principal ou complémentaire, là où l'initiative privée est défaillante ou peu dynamique »[190].
Concernant le tourisme, même si on affirme qu'il continue d'occuper une place importante dans le plan, en raison de sa contribution positive à la balance des paiements, à la création d'emplois et à l'augmentation du revenu national (entre autres dans certaines régions déshéritées), il ne figure plus parmi les premiers secteurs prioritaires comme c'était le cas auparavant. Même si les investissements prévus dans le secteur touristique sont supérieurs (2056 millions de DH) aux plans antécédents, ils ne représentent que 1,8 % des investissements

---

[186] MINISTÈRE DU PLAN, DE LA FORMATION DES CADRES ET DE LA FORMATION PROFESSIONNELLE, Direction de la planification, *op. cit.*, p. 505.
[187] Mimoun HILLALI, *op. cit.*, p. 131.
[188] Les facteurs déterminants qui empêcheront la réalisation d'une telle politique ont été mentionnés précédemment. Ils concernent, au niveau national, la défense de l'intégrité territoriale et une sécheresse prolongée (1980 à 1982) et au niveau international, les retombées négatives de la crise mondiale.
[189] Habib EL MALKI, *op. cit.*, p. 163.
[190] *Ibid.*

publics et privés prévus, l'apport de ces derniers représentant 90 % du total en matière de tourisme.
L'essentiel de la politique touristique visé par ce plan s'articule autour de deux grandes phases :

- la première (1981-1982) doit être consacrée « [...] à l'amélioration de l'environnement législatif et réglementaire (réexamen des mesures d'encouragement à l'investissement, restructuration et renforcement de l'administration du tourisme), à la résolution du problème foncier, à l'amélioration de la qualité du service offert, à l'intensification de la formation professionnelle, etc. » [191];
- la deuxième doit comprendre l'ensemble des nouvelles réalisations en matière d'hébergement.

Sur le plan des objectifs (voir tableau 8), les responsables espèrent attirer durant le quinquennat, 10 625 000 touristes. Ce qui devrait engendrer des recettes évaluées à 16 554 millions de DH. En matière d'hébergement, on souhaite créer une capacité additionnelle de 32 000 lits (dont 6227 font partie du programme de la SONABA), avec comme priorités « [...] l'achèvement des projets en cours, le développement des zones à fort taux de croissance et la diversification de l'offre » [192]. Même si l'hébergement de luxe (quatre et cinq étoiles) continue d'occuper une place prépondérante avec 42 % de la capacité additionnelle prévue, une attention importante est accordée aux résidences touristiques (26 %), qui répondent davantage aux besoins du tourisme national.
Mais, le véritable changement s'observe par le désengagement de l'État en tant qu'investisseur direct. Le secteur privé se voit confier la réalisation de 95 % des nouveaux lits (5 % sont laissés aux secteurs public et semi-public). À noter toutefois que le privé peut continuer de compter sur les avances étatiques (13 % du financement hôtelier), sur les crédits du CIH (55 %)[193], sur des exonérations à la TPS, et sur d'autres avantages (7 %). Les fonds propres qu'il doit engager ne représentent dès lors que 25 % du total.
Enfin, sur le plan de la formation professionnelle, on espère former 570 cadres dirigeants et supérieurs et 6270 cadres moyens et agents subalternes.

---

[191] MINISTÈRE DU PLAN, DE LA FORMATION DES CADRES ET DE LA FORMATION PROFESSIONNELLE, Direction de la planification, *op. cit.*, p. 514.

[192] *Ibid.*, p. 517.

[193] En 1981, les négociations menées par le CIH avec la Banque mondiale, ont conduit à l'obtention d'une quatrième ligne de crédit pour le financement du secteur touristique. Il s'agit d'un prêt de 100 millions de dollars octroyé par la BIRD au CIH pour une durée de 17 ans.

TABLEAU 8
Prévisions et réalisations du plan quinquennal 1981-1985

Sous-secteurs	Objectifs	Résultats	% de réalisation
Nombre de touristes entre 1981 et 1985	10625000	9543843	90 %
Recettes touristiques (en millions de DH)	16554	18300	110 %
Formation professionnelle :			
- cadres supérieurs et moyens	570	364	64 %
- agents spécialisés	6270	2443	38 %
Lits créés :			
- secteur public et semi-public	1711	--	--
- secteur privé	30289	--	--
Total	32000	13119	41 %

Source : Ministère du Tourisme, préparation du plan quinquennal 1988-1992, *Bilan d'exécution du plan quinquennal 1981-1985*, Rabat.

Le bilan d'exécution de ce plan semble assez exceptionnel au niveau des recettes touristiques qui ont dépassé l'objectif fixé. Elles se sont élevées à 18 300 millions de DH au cours du quinquennat, avec un taux de croissance annuel moyen de l'ordre de 29 % (par rapport au secteur des phosphates (6 %) et aux transferts des TME (17 %)). Une partie de ce succès doit être attribuée à la libération progressive des tarifs des prestations hôtelières. Grâce à ces recettes, le secteur du tourisme aurait contribué pour 10,2 % des recettes en devises de l'État en 1985, contre seulement 6,1 % en 1981.
Outre les réalisations quantifiables (voir tableau 8), le plan 1981-1985 sera marqué par un début de privatisation du patrimoine hôtelier étatique qui se traduira par des contrats de location ou de gérance offerts à des sociétés privées nationales et étrangères. Étant donné les piètres résultats financiers des dernières années, l'État espère qu'en confiant la gestion d'une partie de ses établissements hôteliers au secteur privé, ceux-ci retrouveront une certaine rentabilité. C'est

la société Diafa, une société d'État assurant la gestion des hôtels appartenant à l'ONMT, qui sera au coeur de ces opérations. Elle cédera au secteur privé plus de la moitié des établissements qu'elle administre.
Pour encourager encore davantage le secteur privé à investir dans le tourisme, et c'est là l'autre fait marquant de ce plan, l'État promulguera un nouveau Code des investissements touristiques en 1983. Ce nouveau Code, promulgué pour remédier aux difficultés d'application du code de 1973, « [...] diffère de son prédécesseur en ce sens que son champ d'application est mieux défini et étendu, ses avantages fiscaux accrus et la liste des régions particulièrement privilégiées, allongée » [194].
Ces efforts de relance ne produiront pas les résultats escomptés. Le PIB ne progresse en moyenne annuelle que de 1,7 %, enregistrant même un taux négatif en 1981, ce qui ne s'était pas vu depuis 1969[195]. En fait, le plan 1981-1985 ne sera jamais mené à terme car, à partir de l'été 1983, c'est le programme d'ajustement structurel (PAS) du Fonds monétaire international (FMI) qui deviendra la référence en matière de politique économique. Le Maroc, qui avait entamé des négociations avec le FMI en vue de mettre en oeuvre un tel programme entre 1980 et 1983, avait dû reculer face à la pression populaire (émeutes à Casablanca en 1981) qui n'acceptait pas une hausse des prix des principales denrées alimentaires. En 1983 toutefois, le Maroc s'engage dans cette voie, au risque d'une « régression économique » et de nouvelles émeutes (« émeutes du pain » en 1984). Désormais, la planification traditionnelle allait céder le pas à la politique d'ajustement dont l'objectif était la restructuration d'une économie au bord de la « faillite » .

Le tourisme dans le plan d'orientation 1988-1992 : une nouvelle approche

Le cinquième plan quinquennal survient après deux années (1986 et 1987) marquées par l'absence de tout plan. Ce plan se veut différent des autres par sa conception. Il est, en effet, « un plan d'orientation, c'est-à-dire un plan itinéraire, sans effet sur la décision économique et financière » [196], subordonné à la logique du PAS, en vigueur depuis 1983. L'État qui réitère son attachement au libéralisme comme philosophie politique, retient les cinq axes prioritaires suivants :

- « le développement du monde rural ;
- la promotion de la petite et moyenne entreprise ;

[194] Najib AKESBI, « Les codes d'investissement », *La Grande Encyclopédie du Maroc*, *op. cit.*, p. 216.
[195] Voir Habib EL MALKI, *op. cit.*, p. 171.
[196] Habib EL MALKI, *op. cit.*, p. 179.

- la formation de l'homme ;
- l'intensification de la politique de régionalisation ;
- la réforme des entreprises publiques » [197].

Ce dernier élément, la réforme du secteur public, traduit on ne peut mieux la volonté de l'État de se désengager et de privatiser certaines entreprises publiques et semi-publiques. Plusieurs secteurs sont concernés, notamment le tourisme, l'État se proposant de transférer au secteur privé une bonne partie de son patrimoine hôtelier. Cette réforme, préconisée par le PAS, est contenue dans la « Loi sur le transfert au secteur privé de certaines entreprises publiques » adoptée en décembre 1989 et promulguée en avril 1990.

Le tourisme qui ne reçoit plus que 0,4 % des investissements publics au cours du quinquennat, garde néanmoins son importance comme facteur de la croissance économique :

> Ce triptyque (les exportations, le tourisme et les transferts des TME) s'érigera en moteur de la croissance économique en assurant au Maroc les ressources produites par les échanges internationaux nécessaires au financement du développement socio-économique.[198]

Le nouveau plan cependant met l'accent sur une nouvelle approche au niveau du développement du produit touristique. Cette approche repose sur « [...] la confection de nouveaux produits touristiques correspondant à de nouveaux pôles de développement touristique et à des types de tourisme jusqu'à présent marginalisés : il s'agit tout particulièrement de la clientèle des jeunes, du tourisme familial, du tourisme résidentiel, du tourisme de montagne et sports d'hiver, du tourisme rural et de la nature, etc. » [199].

Bref, on veut exploiter de nouvelles ressources qui, en plus d'intéresser une « nouvelle » clientèle touristique, permettra à l'État d'obtenir un meilleur équilibre interrégional en désenclavant des zones déshéritées, en particulier en milieu rural, où on procédera à des travaux publics (eau, électricité, télécommunications, réseau routier), nécessaires au développement de ces régions. Enfin, cela devrait permettre de décongestionner les régions où l'afflux de touristes dépasse souvent les capacités d'accueil existantes.

En termes quantifiés, les objectifs visés sont[200] :
- 3 millions de touristes à l'horizon 1992 ;
- 14 800 millions de DH en recettes touristiques en 1992 ;

---

[197] MINISTÈRE DU PLAN, *Plan d'orientation pour le développement économique et social 1988-1992*, Rabat, n.d., p. 4.

[198] *Ibid.*, p. 3.

[199] MINISTÈRE DU TOURISME, Division des études, *Rapport de synthèse de la Commission nationale du tourisme - Plan d'orientation 1988-1992*, n.d., p. 66.

[200] Tiré d'un résumé (1989) du « Plan d'orientation 1988-1992 », *Maroc Tourisme*, nouvelle série, no 1, ONMT, Rabat, p. 51.

- 40 400 lits à mettre en exploitation au cours de la période quinquennale 1988-1992 ;
- 19 500 emplois directs à créer au cours du plan dont 4480 cadres à former (790 cadres supérieurs, 2210 cadres moyens et 1480 agents).

Les prévisions et les premiers résultats pour les années 1988, 1989 et 1990 apparaissent dans le tableau ci-dessous :

TABLEAU 9
Prévisions et réalisations du plan quinquennal 1988-1992 pour les années 1988 à 1990

Sous-secteurs	Objectifs	Résultats	% de réalisation
Nombre de touristes (TME et pays maghrébins exclus)	6084900	4530093	74 %
Recettes touristiques (en millions de DH)	28380	27438	97 %
Formation professionnelle :			
- cadres supérieurs	370	422	114 %
- cadres moyens	1260	889	71 %
- agents spécialisés	840	507	60 %
Lits créés :	21000	15457	74 %

Source : Ministère du Tourisme, *Plan d'orientation 1988-1992*, Rabat, 1987. Ministère du Tourisme, *Le secteur touristique - statistiques 1990*, ONMT, Rabat, 1991.

Les résultats partiels du plan 1988-1992 semblent indiquer que les objectifs, autrefois rarement atteints, sont en bonne voie d'être réalisés. Toutefois, les conséquences de la crise du Golfe, déclenchée à l'été de 1990, risquent de compromettre ces résultats comme le laissent entrevoir les premières données qui démontrent une chute significative du nombre d'arrivées de touristes, surtout européens et américains, pour les derniers mois de l'année 1990, en

comparaison des deux années précédentes[201]. Le tourisme, secteur traditionnellement très sensible aux conjonctures politiques, risque d'être durement affecté par cette crise, d'autant plus que l'année 1990 se terminera par des émeutes, notamment à Fès où un hôtel sera attaqué.
Un nouveau Code des investissements sera promulgué en 1988. Ce code, semblable dans ses grandes lignes à celui de 1983, s'en démarque surtout par le fait que l'État restreint un certain nombre d'avantages, autrefois consentis aux investisseurs.
Les investisseurs privés continuent d'avoir accès au crédit du CIH, auquel il faut ajouter les exonérations fiscales et les avances étatiques. La structure de financement des établissements hôteliers n'a donc pas beaucoup changé depuis le plan 1968-1972, alors que les capitaux propres du secteur privé représentent toujours moins de 25 % du total requis pour lancer un projet hôtelier.
Notons que le rôle de « banque du tourisme » du CIH demeure important. C'est, rappelons-le, le principal organisme impliqué dans des projets touristiques. Son action est grandement facilitée par les capitaux qu'il reçoit de l'extérieur. Ainsi, il obtient en 1987 et en 1989 deux prêts de la Société financière internationale (SFI) de 25 millions et 92 millions de dollars[202]. La SFI, une filiale de la Banque mondiale allait ainsi prendre la relève de la BIRD qui avait annoncé sa décision de se retirer du secteur touristique en 1979.
Même s'il est trop tôt pour faire le bilan du plan 1988-1992, il semble que l'État marocain ait réussi à donner une nouvelle impulsion au secteur du tourisme à la fin de la décennie 1980. Beaucoup y voient l'effet du PAS qui a nécessairement eu un certain impact dans plusieurs secteurs de l'économie marocaine dont le PIB s'est accru en moyenne à un rythme de 4,1 % par an entre 1986 et 1990 ; ce que plusieurs considèrent comme « [...] une nette relance du processus de croissance par rapport à la première moitié de la décennie » [203].
Au niveau de l'équilibre de la balance des paiements qui, dans la logique du PAS, est devenu le critère de performance par excellence, on a observé une croissance des exportations (10,4 %) nettement supérieure à celle des importations (8,6 %) entre 1986 et 1990[204] ; performance attribuée en partie aux transferts des TME et aux recettes

---

[201] Voir MINISTÈRE DU TOURISME (1991), Division des études, *Le secteur touristique - Statistiques 1990*, ONMT, Rabat.
[202] Il est important de souligner que les prêts de la SFI ne s'adressent qu'aux entreprises privées et que le CIH est tenu de se conformer aux exigences de cette dernière. L'intervention de la SFI est stratégique, en ce sens qu'elle appuie la décision du gouvernement marocain de privatiser et de s'en remettre au secteur privé.
[203] Centre marocain de conjoncture (1991), « Performances de l'économie marocaine depuis 1986 », *Marchés tropicaux*, 18 octobre, p. 2555.
[204] *Ibid.*, p. 2556.

touristiques qui ont augmenté en moyenne au cours de cette même période de 12,13 % par an. Enfin, il y a eu des améliorations, voire un assainissement des finances publiques alors que le déficit qui représentait 13,5 % du PIB en 1981, a été ramené à 3,4 % en 1990[205].
Mais, si à première vue le PAS semble avoir eu un impact positif sur l'économie marocaine, beaucoup croient que cet « ajustement subi » aura des conséquences encore plus négatives qu'ils identifient au « [...] développement de l'extraversion de l'économie à travers le développement prioritaire du secteur d'exportation (dont fait partie le tourisme), à l'aggravation de la destruction sociale et à l'émergence d'une économie à trois vitesses, marquée par des disparités croissantes : une économie tournée vers l'exportation, une économie tournée vers le marché local handicapé et une économie de survie » [206].

12- Des objectifs aux réalisations de la planification

L'évolution de la politique touristique à travers les plans de développement économique et social a connu un certain nombre de phases. Alors qu'au cours de la période coloniale le tourisme n'était vu que comme une façon de « [...] contrecarrer les sorties de devises entraînées par le courant inverse des voyages des résidents à l'étranger » [207] et un moyen d'équilibrer la balance des paiements, le nouveau Maroc indépendant commence à le considérer, vers 1960, comme un facteur de développement.
À partir de 1965, date qui marque en quelque sorte la naissance d'une véritable politique touristique, le tourisme fait figure de secteur prioritaire et constitue un élément central de la politique économique marocaine. C'est un secteur sur lequel les autorités mettent beaucoup d'espoir, notamment parce qu'il peut contribuer à l'allégement du fardeau croissant de la dette extérieure. Mais, malgré des résultats satisfaisants, le tourisme ne comble pas les attentes, peut-être trop élevées, des planificateurs marocains.
Avec l'entrée en vigueur du plan 1973-1977 destiné à relancer l'économie, l'État entend orienter son rôle vers un interventionnisme encore plus massif. Si l'option industrialisante constitue la priorité nationale de ce plan, le tourisme figure toujours au chapitre des secteurs prioritaires. Là aussi, l'intervention accrue de l'État se manifeste sous plusieurs formes : à travers la politique de régionalisation, via l'extension du secteur public et par l'adoption

---

[205] *Ibid.*, p. 2557.
[206] Habib EL MALKI, *op. cit.*, p. 184.
[207] Hassan SEBBAR, *Bilan d'une politique touristique. L'exemple du Maroc*, *op. cit.*, p. 99.

d'un Code des investissements touristiques. Fortement marqués par des conjonctures internes et externes mouvementées, les résultats de la politique touristique sont toutefois compromis et dès lors certains diront qu'à la phase d'euphorie générale ayant prévalue jusqu'en 1972, succède un début de déception[208].
À partir de 1978, la politique en matière de tourisme est caractérisée par le désengagement de l'État. La priorité accordée au secteur du tourisme n'est plus la même qu'auparavant et elle semble plutôt symbolique dans le contexte difficile dans lequel se trouve l'économie marocaine. Fortement influencée par les mesures préconisées dans le cadre du programme d'ajustement structurel (PAS), la politique touristique sera marquée par des objectifs plus modestes, un retrait de l'État qui cherche à réduire la taille du secteur public et semi-public en voulant privatiser nombre d'hôtels et par une nouvelle approche dans le développement du produit touristique marocain.
Avant de procéder à un bref bilan de la politique touristique tant sur le plan des réalisations qu'au niveau des principales carences, voici un tableau récapitulatif présentant de façon chronologique (au niveau de chaque plan) les grandes étapes de la politique touristique marocaine, celles de la politique économique du Maroc et quelques-uns des faits marquants de la politique internationale et des institutions internationales ayant influencé le développement du tourisme au Maroc.

---

[208] Voir à cet effet Mimoun HILLALI, *op. cit.*, p. 135 qui appuie ses affirmations sur une étude de la Banque mondiale (*Maroc: rapport sur le développement économique et social*, octobre 1981) selon laquelle le tourisme dans la croissance des exportations, a évolué de 14,5 % entre 1967 et 1972 par rapport à 0,9 % entre 1973 et 1977.

TABLEAU 10
Politique touristique, politique économique marocaines et politique internationale

Récapitulatif pour la période 1960-1990

	Politique touristique	**Politique marocaine**	**Politique internationale**
Plan 1960-64	•Tourisme vu comme facteur de développement. •Peu d'importance attachée par l'État. •1,4% des investissements. •On laisse la place au secteur privé (92% des investissements prévus.	•Plan de transition: Obj.: indépendance économique et financière. •Échec du plan, première crise financière du Maroc	•ONU favorable au tourisme dans les PVD. •Mission au Maroc de la Banque mondiale.
Plan 1965-67	•Naissance d'une politique touristique •Orientations: •création des ZAP; •encourager initiatives privées; •financer travaux d'infrastructure; •formation des cadres.	•Plan de stabilisation: virage au libéralisme économique. •Priorités: •agriculture; •tourisme; •formation des cadres.	•Banque mondiale: incite et appuie le Maroc pour qu'il développe le tourisme. •Croissance rapide du tourisme international.
Plan 1968-72	•Tourisme: secteur prioritaire. •Rôle: alléger le fardeau de la dette. •Rôle moteur de l'État: •Promoteur dans les zones qu'il aménage; •agent d'incitation; •6,8% des investissements.	•Mêmes priorités que le plan 1965-67. •Faiblesse de l'économie: •taux d'investissement plus faibles (coup d'État: 1971-1972); •premières tensions inflationnistes; •augmentation de l'endettement extérieur; •augmentation des disparités sociales.	•Prêts de la BIRD pour le tourisme: •1970: 10000000$; •1972: 15000000$.

	Politique touristique	Politique marocaine	Politique internationale
Plan 1973-77	•Tourisme: recul dans l'ordre des priorités (fait place à l'industrie). •Code des investissements touristiques (1973). •Orientations: •favoriser tourisme de masse; •diversifier clientèle; •augmentation de l'apport au plan national; •régionaliser les effets du tourisme.	•Plan de relance: •option industrialisante pour accroître les exportations; •libéralisation du Code des investissements; •processus de marocanisation; •extension du secteur public; •politique de développement régional (7 régions). •Crise économique & politique: •chute du cours des phosphates; •faiblesse des récoltes céréalières; conflit du Sahara.	•Crise pétriolière. •Récession des économies industrialisées. •Effondrement du système monétaire international. •Caducité des accords Maroc-CEE. •Prêts de la BIRD pour le tourisme: •1976: 25000000$; •projet Agadir.
Plan 1978-80	•Objectifs modestes. •Début du désengagement de l'État: il n'intervient plus directement dans la gestion et l'édification d'hôtels. •Orientations: •rentabilisation des investissements touristiques; •prépondérance du secteur privé; •harmonisation de la régionalisation; •diversification de l'offre; •plus de promotion.	•Plan de stabilisation: •rétablir les équilibres fondamentaux; •répartir de façon plus équitable les bénéfices de la croissance; •mêmes priorités que le plan précédents. •Emphase particulière pour la défense nationale (25% des investissements publics). •Certain effacement de l'État. •Problèmes économiques: •augmentation rapide du chômage; •diminution de la croissance économique; •chute des investissements.	•Second choc pétrolier. •Aggravation de la crise économique et financière mondiale. •Accentuation de l'endettement du tiers monde.

	Politique touristique	**Politique marocaine**	**Politique internationale**
Plan 1981-85	•Tourisme n'est plus dans les premières priorités. •1,8% des investissements. •Nouveau Code des investissements (1983). •Secteur privé se voit confier 95% de la nouvelle capacité hôtelière. •Début de privatisation (DIAFA)	•Plan initial de relance, abandonné en 1983. •Mesures de redressement économique qui créent des tensions sociales: émeutes en 1981 et 1984.	•Prêts de la BIRD pour le tourisme: •1981: 100000000$. •Entrée en vigueur du programme d'ajustement structurel (PAS) au Maroc en 1983.
Plan 1988-92	•Tourisme: 0,4% des investissements publics. •Nouvelle approche: •nouveaux produits touristiques; •nouveaux pôles de développement; •nouvelles clientèles visées. •Code des investissements (1988) restreignant les avantages.	•Plan d'orientation (sans effet sur la décision économique et financière). •Axes prioritaires: •développement du monde rural; •promotion de la PME; •formation de l'homme; •intensification politique ou régionalisation; •réforme des entreprises publiques (Loi sur le transfert au secteur privé). •Moteur de la croissance économique: exportations, tourisme et transferts des TME.	•Prêts de la SFI pour le tourisme: •1987: 50000000$; •1989: 92000000$. •Début de la crise du Golfe (été 1990).

Les réalisations

Les résultats des plans

Les résultats de la politique touristique comprennent tout d'abord les réalisations relatives à des objectifs quantifiables et auxquels on peut attribuer un taux de succès ou d'échec. Le tableau 11 récapitule ces résultats à travers les différents plans de développement économique et social.

TABLEAU 11
Taux de réalisation au niveau des sous-secteurs du tourisme, dans les plans de développement

Sous-secteurs Plans	Arrivées de touristes	Recettes touristiques	Formation professionnelle	Nouvelle capacité hôtelière
Plan 1960-1964	-	58 %	20 %	-
Plan 1965-1967	71 %	62 %	19 %	40 %
Plan 1968-1972	98 %	68 %	46 %	57 %
Plan 1973-1977	74 %	75 %	55 %	22 %
Plan 1978-1980	89 %	90 %	45 %	45 %
Plan 1981-1985	90 %	110 %	41 %	41 %
Plan 1988-1992 (années 1988 à 1990)	74 %	97 %	74 %	74 %
Moyenne (x)	82,6 %	80 %	42,8 %	46,5 %

Source: *Plans de développement économique et social.*

Une lecture du tableau 11 nous permet de constater que c'est surtout au chapitre des arrivées de touristes et des recettes touristiques que les taux de réalisation ont été les meilleurs. Un constat qui peut paraître étrange si l'on suppose que les autorités marocaines devraient normalement avoir un plus grand contrôle sur l'évolution de la formation professionnelle et de la capacité d'hébergement que sur les arrivées de touristes étrangers et les recettes qu'elles amènent. En fait, une partie de l'explication concernant surtout l'hébergement hôtelier réside dans le fait que l'État n'a pas toujours pu réaliser les investissements prévus ou encore qu'il a sous-évalué les charges relatives au développement hôtelier et que le secteur privé (national comme étranger) n'a pas pris la relève.

Mais, après bientôt trois décennies de politique touristique, les résultats[209] démontrent l'importance du chemin parcouru au Maroc dans le domaine du tourisme et ce, tant au niveau de l'offre que de la demande. Ainsi, alors qu'on comptait dans tout le Royaume chérifien une capacité d'hébergement évaluée à près de 20 000 lits (19 780) en 1967, on retrouve en 1990 une offre d'hébergement touristique proche des 90 000 lits (88 578). Du côté de la demande, les chiffres sont tout aussi éloquents: en 1967, le Maroc accueillait près de 385 000 touristes étrangers de séjours (excluant les TME) qui rapportaient à l'État des recettes de l'ordre de 400 millions de DH. En 1990, on enregistre des arrivées totales de 2 978 366 et des recettes de 10 548 millions de DH (26 fois plus qu'en 1967). Bref, même si les objectifs furent rarement atteints, les principaux indicateurs de l'offre et de la demande nous confirment l'ampleur du développement touristique qui a eu lieu au Maroc.
Les réalisations liées à la politique touristique ne se limitent pas aux seules données quantifiables qui viennent d'être présentées, bien qu'elles constituent des indicateurs majeurs. En fait, il y a aussi toutes les réalisations de nature plus qualitatives et auxquelles on a parfois fait référence à travers l'évolution de la politique touristique. Elles concernent principalement l'organisation administrative du tourisme, celle des professions touristiques et de leur cadre législatif ainsi que les politiques sous-sectorielles ayant trait à la promotion, l'animation, l'aménagement, le transport et la protection du patrimoine culturel et environnemental, ces dernières pouvant à elles seules faire l'objet d'une étude particulière.

La part du tourisme dans l'économie marocaine

L'évolution de la part du tourisme dans l'économie marocaine s'exprime principalement par la part de ce secteur dans la balance des paiements et de façon plus précise, dans les recettes du compte « exportations de biens et services » . Le tableau 12 nous présente cette évolution.
Comme nous pouvons le remarquer, la part des recettes touristiques a repris une plus grande place dans le total des exportations de biens et services en 1985 et 1990 et ce, après avoir connu une baisse non-négligeable au cours des années 1970. Ces données illustrent fort bien l'impact des crises économiques mondiales de 1973 et 1979 sur le tourisme au Maroc, l'évolution des recettes du tourisme international ayant connu des taux de croissance relativement plus faibles au cours de ces périodes. D'autre part, il est intéressant de noter qu'au cours des dernières années, l'apport en devises du tourisme a sensiblement augmenté pour représenter près de 11 % des

[209] Ces résultats proviennent des statistiques du ministère du Tourisme du Maroc.

recettes en devises de l'État en 1990, comparativement à 6,6 % en 1980[210].

TABLEAU 12
Évolution de la part des recettes touristiques dans les exportations de biens et services

	Recettes touristiques (RT)	Exportations de biens et services (EBS)	Part des RT sur les EBS (%)
1970	682	3604	19 %
1975	1200	9907*	12 %
1980	1785	13031	14 %
1985	6100	32202	19 %
1990	10548	52660	20 %

(en millions de DH)
* Calculé à partir des données du FMI.

Source: *Le Maroc en chiffres.*

Mais, l'aspect économique du tourisme ne se limite pas aux seules devises qu'il procure à l'État. Plusieurs dimensions, notamment l'impact sur l'emploi et sur les autres secteurs de l'économie, entrent en ligne de compte. Toutefois[211], il est difficile de faire une juste évaluation de cet impact étant donné le grand nombre de variables à considérer.
Pour les fins de ce livre, signalons simplement que selon des données de la Banque mondiale[212], en 1982, il y avait 72 000 emplois dans le secteur du tourisme (c'est-à-dire 12 % de l'emploi dans le secteur manufacturier) dont 24 000 étaient directement liés aux emplois dans l'industrie hôtelière et les autres branches du

210 Voir MINISTÈRE DU PLAN, *Le Maroc en chiffres.*
211 Voir à ce sujet la thèse de Sven BERTIL KJELLSTROM (1974), *The Impact of Tourism on Economic Development in Morocco*, Thesis, The University of Michigan.
212 Rapport confidentiel de la Banque mondiale.

tourisme (restaurants, agences de voyages, artisanat, etc.). Alors qu'on estimait à 10 % des recettes touristiques les importations nécessaires liées aux opérations de ce secteur, on calculait que 60 % des dépenses des touristes allaient au secteur hôtelier, la balance étant répartie entre l'artisanat (15 %), la restauration (15 %) et les autres services incluant le transport.

Les carences de la politique touristique

La politique touristique marocaine a déjà fait l'objet de nombreuses critiques qui, en général, ont mis en évidence les carences de cette dernière. Sans trop les expliciter, nous pouvons identifier les principales insuffisances de cette politique comme suit:

- la planification en tourisme repose sur des bases plus ou moins solides. Une analyse des prévisions démontrerait que « les objectifs de chaque plan découlent presque automatiquement des résultats obtenus après l'exécution de celui qui l'avait précédé » [213], la dimension prospective étant peu considérée par les planificateurs ;
- sur le plan administratif, des « conflits d'attribution » ont longtemps miné les rapports entre l'ONMT et le ministère du Tourisme, nuisant du même coup à l'efficacité de chacun des deux organismes ;
- les efforts de l'État dans la promotion des avantages à investir dans le secteur du tourisme au Maroc ont été largement insuffisants par rapport aux moyens (Code des investissements touristiques) qu'il a mis à la disposition du secteur privé ;
- le choix des ZAP a pu répondre à des considérations d'ordre plutôt politique que socio-économique ;
- la conception des premiers codes des investissements qui omettaient certains secteurs du tourisme (par exemple le transport) et la non-résolution du problème foncier[214] ont eu pour effet de restreindre les investissements et aménagements dans le tourisme ;
- les problèmes liés au développement et à la promotion du produit touristique ont été rapidement identifiés, et les autorités s'en sont tardivement préoccupés. Parmi ces problèmes, il faut mentionner :

---

[213] Mimoun HILLALI, *op. cit.*, p. 133.

[214] Voir « Sévère constat du ministre du Tourisme sur la situation de l'industrie hôtelière», *La vie touristique africaine*, no 438, 15 janvier 1992, p. 13. Selon le ministre, ce problème réside dans «le manque et la cherté des terrains, la complexité des régimes juridiques, aux difficultés inhérentes aux documents d'urbanisme [...] ».

- le déséquilibre structurel et régional dans le développement de la capacité hôtelière ;
- la prise en compte tardive de l'importance du tourisme intérieur comme facteur de stabilisation du tourisme au Maroc ;
- le manque d'animation, composante essentielle d'un produit touristique, et qui constitue toujours l'une des lacunes principales du tourisme marocain ;
- les insuffisances du transport, qu'il soit aérien (diversification des dessertes, qualité du service, respect des horaires, nombre de vols), maritime (insuffisance de la flotte et du nombre de rotations) ou terrestre (réglementation inadaptée, coût élevé du matériel et « exclusion depuis 1989, des acquisitions de véhicules pour le transport touristique et du bénéfice de l'exonération des droits de douane »)[215] ;
- les faiblesses au niveau de l'accueil, que ce soit en termes de complexités des formalités d'accès, d'inadaptation des infrastructures ou de harcèlement de toutes sortes (faux guides, comportement abusif des bazaristes) ;
- le manque d'effectifs professionnels dans l'industrie touristique ;
- l'absence d'une véritable politique en matière de promotion du tourisme, basée sur une concertation des divers intervenants ;
- la forte dépendance envers les tours-opérateurs étrangers.

---

[215] *Ibid.*

IV- L'OFFRE TOURISTIQUE MAROCAINE

L'on définit, habituellement, l'offre touristique comme l'ensemble des biens et services nécessaires pour satisfaire les besoins des consommateurs en ce qui concerne les vacances et les voyages. Ces biens et services peuvent prendre des formes très diverses ; ils peuvent contenir l'un ou plusieurs des éléments suivants : transport, hébergement, restauration, attractions et diverses activités touristiques.
L'offre touristique a un caractère disparate car elle réunit des éléments très différents. Certains de ces éléments ne sont touristiques qu'à moitié (ou moins) ; par exemple, le transport et la restauration ne servent pas uniquement au tourisme mais aussi, en grande partie, aux résidents du pays. Ainsi, le seul secteur à 100 % touristique est celui de l'industrie de l'hébergement. Pour les fins de notre étude, l'offre touristique se confondra donc avec l'offre d'hébergement.
Le secteur de l'hébergement est la véritable épine dorsale de tout le système d'échanges nationaux et internationaux. Il est la base même de l'industrie touristique ; sans lui, pas de tourisme possible ! C'est aussi le secteur, après le domaine des transports, qui demande les investissements les plus élevés et une main-d'oeuvre très qualifiée. Le secteur de l'hébergement est un bon indicateur du développement touristique ; il permet d'évaluer le dynamisme du pays, de la région ou de la ville au plan touristique.

13- L'offre touristique et les parts de marché

Depuis la période coloniale, l'offre d'hébergement au Maroc s'est profondément modifiée. Après l'indépendance du pays, la croissance de l'offre a été assez lente mais, depuis une vingtaine d'années, la demande touristique internationale a exercé une pression très forte sur l'offre. L'offre d'hébergement avait d'importants écarts à rattraper tant au plan du nombre des chambres que des standards de qualité propres à l'hôtellerie internationale. C'est dans cette perspective que l'offre d'hébergement a joué un rôle structurant pour l'ensemble de l'industrie touristique marocaine.

L'évolution récente de l'offre

Dans le tableau 13[216], nous avons l'évolution de l'offre d'hébergement dans le Monde, en Afrique, en Afrique du Nord et au Maroc de 1976 à 1990.

---

[216] Le contenu des tableaux apparaissant dans les chapitres IV et V sont le résultat de calculs effectués à partir des statistiques de l'Organisation mondiale du tourisme

TABLEAU 13
Taux d'accroissement annuels moyens (moyenne géométrique) de l'offre d'hébergement dans le Monde, en Afrique, en Afrique du Nord et au Maroc de 1976 à 1990 (en %)

Années	Monde	Afrique	Afrique du Nord	Maroc
1976-1980	3,3	6,5	2,5	5,3
1981-1985	3,2	16,7	16,8	3,6
1986-1990	2,7	6,0	7,8	6,2
1976-1990	3,0	8,8	8,3	4,9
Coefficient de variation	12	40	41	24

On constate, dans ce tableau, que la croissance de l'offre mondiale a été relativement faible entre 1976 et 1990 avec un taux d'accroissement annuel moyen de 3 %.

L'Afrique (et l'Afrique du Nord qui y est incluse) a connu une progression très forte de l'offre d'hébergement avec un taux annuel de 8,8 %. Nous pouvons remarquer une très forte augmentation durant la période 1981-1985 où le taux d'accroissement est cinq fois plus élevé que le taux mondial (de 3,2 % à 16,7 %). Il est fort probable que des taux élevés d'accroissement soient observés jusqu'en l'an 2000, pour l'Afrique, car il y a un retard important à combler au niveau de l'offre d'hébergement.

Le Maroc, durant la période 1976-1990, a connu une croissance continue (avec un taux d'accroissement annuel moyen de 4,9 %). Nous pouvons remarquer une baisse appréciable de la progression durant la période 1981-1985 ; ce qui semble démontrer que le développement touristique a été sensible à la crise économique qui sévissait à ce moment là.

La comparaison des coefficients de variation dans le tableau 13 (qui sont une autre façon d'évaluer les fluctuations de l'offre) indique de faibles variations pour le Monde (avec 12 %), des variations plus fortes pour le Maroc (avec 24 %) et enfin des fluctuations très élevées

(OMT), des ministères du Plan et du Tourisme du Maroc et du Crédit immobilier et hôtelier (CIH).

pour l'Afrique et l'Afrique du Nord (avec 40 % et 41 % respectivement).
Dans le tableau 14, nous avons comparé le Maroc à l'Afrique et au Monde à partir des différents taux d'accroissement annuels moyens.

TABLEAU 14
Comparaison des taux d'accroissement annuels moyens de l'offre d'hébergement du Maroc et de l'Afrique, et du Maroc et du Monde pour différentes périodes (100 = équilibre)

Années	Maroc/Afrique	Maroc/Monde
1976-1980	81	161
1981-1985	21	112
1986-1990	103	230
1976-1990	56	163

* Les données utilisées proviennent du tableau 13 ; la formule du calcul est, par exemple, pour la deuxième colonne :

$$\frac{\text{Taux Maroc}}{\text{Taux Afrique}} \times 100.$$

Face à l'Afrique, l'offre marocaine est fortement déficitaire (sauf pour la période 1986-1990 - ici l'égalité entre les deux pays donnerait 100).
Par rapport à l'ensemble du monde, l'évolution de l'offre marocaine a été exemplaire (même durant la difficile période 1981-1985). Cette forte poussée est due à des forces exogènes et endogènes : insertion du Maroc dans le système touristique mondial et une relative augmentation du tourisme intérieur. L'effort financier du Crédit immobilier et hôtelier (CIH) qui a bénéficié de prêts du Groupe de la Banque mondiale, de même que la réforme du Code des investissements touristiques en 1983 ont aussi contribué fortement à l'accroissement de l'offre.
Afin d'aller plus en profondeur dans l'étude de l'évolution de l'offre d'hébergement au Maroc, nous avons comparé les taux d'accroissement annuels moyens nationaux aux taux de certaines villes touristiques (Marrakech, Agadir et Ouarzazate). Ces taux apparaissent dans le tableau 15.

TABLEAU 15
Taux d'accroissement annuels moyens (moyenne géométrique) de l'offre d'hébergement au Maroc et dans les villes de Marrakech, Agadir et Ouarzazate, de 1976 à 1990 (en %)

Années	Maroc	Marrakech	Agadir	Ouarzazate
1976-1980	5,3	11,0	14,3	0,0
1981-1985	3,6	4,2	3,7	3,7
1986-1990	6,2	12,3	4,9	16,1
1976-1990	4,9	9,3	8,2	6,9
Coefficient de variation	24	42	37	41

Nous pouvons noter, de prime abord, que les taux du Maroc sont toujours plus faibles que ceux des villes étudiées.
En considérant les taux d'accroissement annuels moyens pour les périodes observées, nous pouvons constater une forte croissance pour Agadir (et ensuite Marrakech) de 1976 à 1980. La période 1981-1985 correspond à une certaine stagnation même si le taux de Marrakech est un peu plus élevé que les autres. En 1986-1990, nous voyons une forte augmentation de l'offre à Ouarzazate (et un peu plus faible à Marrakech) ; pour la même période, le taux de croissance d'Agadir est plus faible que le taux de l'ensemble du Maroc.
Ces trois villes ont vécu de fortes fluctuations de l'offre d'hébergement pendant ces quinze années ; les coefficients de variation, pour ces villes, sont beaucoup plus élevés que le taux global du Maroc. Les villes touristiques (où la fonction touristique est forte) drainent la majeure partie de l'accroissement de l'offre d'hébergement.

L'étude des parts de marché

Dans le tableau 16, nous présentons l'évolution des parts de marché du Maroc comparés à ceux de l'ensemble du Monde et de ceux de l'Afrique et de l'Afrique du Nord.

TABLEAU 16
Les parts de marché du Maroc dans l'offre d'hébergement pour le Monde, l'Afrique et l'Afrique du Nord,
pour quatre périodes : 1976, 1981, 1986 et 1990 (en %)

Années	Maroc/Monde	Maroc/Afrique	Maroc/Afrique du Nord
1976	0,31	19,5	34,6
1981	0,39	21,4	45,0
1986	0,46	15,3	30,9
1990	0,50	14,8	27,9

Dans le marché mondial, la place du Maroc (par blocs de cinq années) est en progression constante car elle est passée de 0,31 % à 0,50 % de l'ensemble ; l'augmentation est plus faible entre 1986 et 1990.

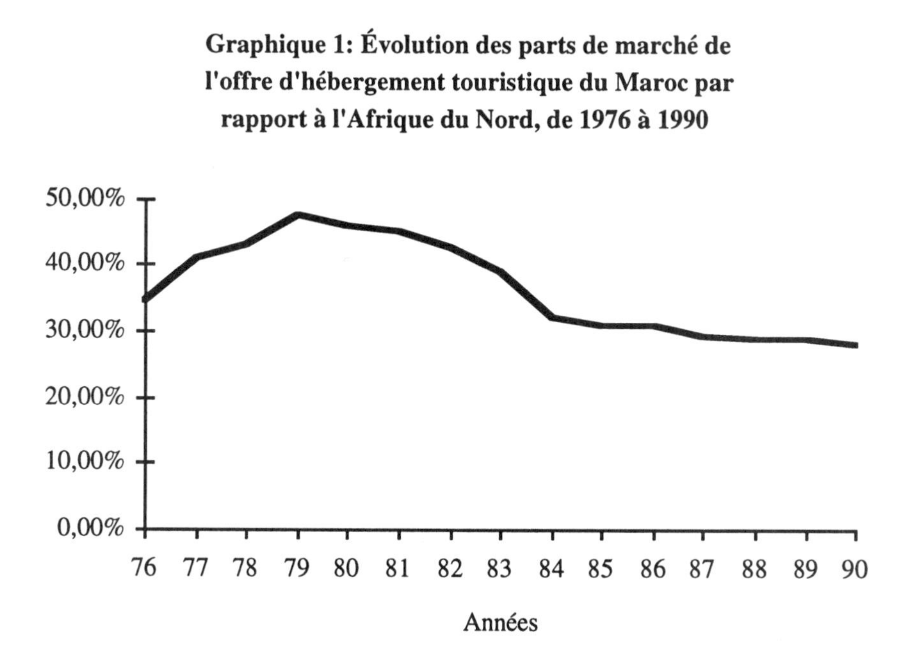

Graphique 1: Évolution des parts de marché de l'offre d'hébergement touristique du Maroc par rapport à l'Afrique du Nord, de 1976 à 1990

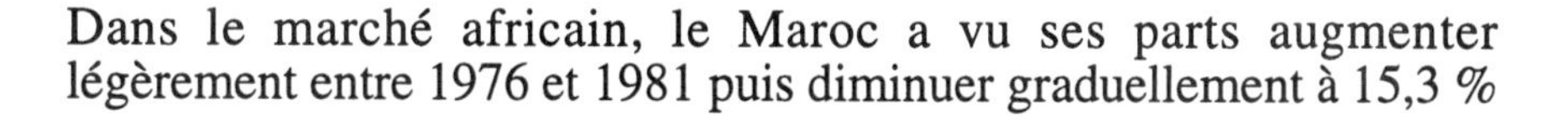

Dans le marché africain, le Maroc a vu ses parts augmenter légèrement entre 1976 et 1981 puis diminuer graduellement à 15,3 %

en 1986 et 14,8 % en 1990 ; il semble que les parts de marché du Maroc, sur l'ensemble du continent africain se stabiliseront autour de 14 % ou 15 % dans les prochaines années.
La situation du Maroc par rapport à l'Afrique du Nord, en terme de parts du marché de l'offre, apparaît dans le graphique 1 pour la période 1976-1990. On remarque ici une forte croissance suivie d'une longue décroissance.
En Afrique du Nord, les parts de marché du Maroc se sont grandement accrues entre 1976 et 1981 (de 34,6 % à 45 % du marché). Par la suite, on remarque une baisse assez forte des parts de marché entre 1981 et 1986 et une baisse plus légère entre 1986 et 1990 (de 30,9 % à 27,9 %). Il est probable que les parts de marché du Maroc en Afrique du Nord se maintiendront à environ 25 % de l'ensemble pour les prochaines années.

14- Les différents types d'hébergement touristique

L'offre d'hébergement s'est transformée lentement dans les quinze dernières années. Ces changements apparaissent dans le tableau 17.

TABLEAU 17
Évolution des parts de marché des différents types d'hébergement au Maroc de 1976 à 1990 (en %)

Années	Hôtel (lits)			Villages-vacances et centres balnéaires	Total
	4 et 5 étoiles	3 étoiles	1 et 2 étoiles		
1976	41,7	22,2	17,7	18,4	100
1981	46,3	14,1	14,6	25,0	100
1986	50,6	12,0	13,1	24,3	100
1990	49,2	11,5	12,1	27,2	100

Nous voyons dans ce tableau que les parts de marché des hôtels quatre et cinq étoiles augmentent graduellement de 1976 à 1990.
Les hôtels de une à trois étoiles qui formaient près de 39,9 % du marché de l'hébergement en 1976 ont vu leurs parts réduites à 23,6 % de l'ensemble du secteur. Nous pouvons observer aussi que les villages-vacances et les centres balnéaires ont connu une

croissance importante : ils sont passés de 18,4 % du marché à 27,2 % de 1976 à 1990.
En 1990, les hôtels quatre et cinq étoiles, les villages de vacances et les centres balnéaires dominent la scène ; ces catégories contrôlent 76,7 % du marché de l'hébergement. Les hôtels de une et deux étoiles et les hôtels trois étoiles (la catégorie moyenne) sont lentement marginalisés dans le marché de l'hébergement. Ces changements pourraient affecter grandement le développement du tourisme intérieur dans les prochaines années. L'hébergement haut de gamme ne devrait pas monopoliser l'ensemble de l'industrie ; l'augmentation des « palaces » posera des problèmes difficiles à résoudre à moyen terme.

L'hébergement bas de gamme

Les hôtels une et deux étoiles connaissent une croissance faible depuis 1976. Dans le tableau 18, nous pouvons examiner cette évolution.

TABLEAU 18
Taux d'accroissement annuels moyens (moyenne géométrique) de l'offre d'hébergement dans les hôtels de une et deux étoiles au Maroc et dans les villes de Marrakech, Agadir et Ouarzazate (en %)

Années	Maroc	Marrakech	Agadir	Ouarzazate
1976-1980	2,5	3,0	9,0	0,0
1981-1985	2,0	-4,1	6,3	0,5
1986-1990	4,0	6,9	0,2	16,2
1976-1990	2,0	2,1	0,02	19,2
Coefficient de variation	11	15	20	77

Nous pouvons remarquer que cette progression n'est que de 2 % pour l'ensemble du Maroc (et quasi nulle pour la ville d'Agadir). Par contre, il y a une forte augmentation de ce type d'hébergement à Ouarzazate dans la période 1986-1990.
Dans l'ensemble, l'augmentation de ce type d'hébergement est très faible et connaîtra une stagnation à court terme. Cette situation va créer des obstacles au développement d'un tourisme intérieur (et

même extérieur) de masse. Ce type d'hébergement (pour tous les pays) est nécessaire au système d'échanges nationaux et internationaux. L'absence de ce type d'hébergement dans certaines régions va cruellement se faire sentir dans l'avenir.

L'hébergement de catégorie moyenne

Le nombre de lits dans les hôtels de catégorie moyenne (trois étoiles) a baissé de façon importante, dans l'ensemble du Maroc, dans la décennie 1980-1990 ; en 1980, il y avait 14 159 lits de cette catégorie et il ne restait que 10 157 lits en 1990. Nous pouvons observer cette évolution dans le tableau 19.

TABLEAU 19
Taux d'accroissement annuels moyens (moyenne géométrique) de l'offre d'hébergement dans les hôtels trois étoiles au Maroc et dans les villes de Marrakech et d'Agadir (en %)

Années	Maroc	Marrakech	Agadir
1976-1980	8,8	1,5	31,9
1981-1985	0,9	3,8	-13,3
1986-1990	4,9	9,5	7,1
1976-1990	0,03	1,1	-0,5
Coefficient de variation	22	17	0,5

Marrakech a connu une augmentation importante de ce type d'hébergement entre 1986 et 1990 mais cette croissance ne fait que compenser les pertes subies entre 1977 et 1982 (en 1977, il y avait 1757 lits trois étoiles à Marrakech et seulement 907 en 1982).
À Agadir, la régression de ce type d'hébergement a été très forte entre 1981 et 1985 : une baisse de 13,3 par année. Agadir regroupait, en 1980, 3883 lits de catégorie trois étoiles et seulement 1191 en 1990. Il y a donc eu une véritable saignée de ce type d'hébergement dans les quinze dernières années.
Sur une période assez longue, on peut donc constater une baisse généralisée de l'hébergement trois étoiles. Les taux d'accroissement annuels moyens de la période 1986-1990 sont très élevés : ces taux se maintiendront-ils dans les prochaines années? Il est difficile de répondre actuellement à cette question.

Les hôtels haut de gamme

Les hôtels de catégorie quatre et cinq étoiles ont connu une expansion très forte entre 1976 et 1990. Cette croissance apparaît dans le tableau 20.

TABLEAU 20
Taux d'accroissement annuels moyens (moyenne géométrique) de l'offre d'hébergement dans les hôtels quatre et cinq étoiles au Maroc et dans les villes de Marrakech, Agadir et Ouarzazate (en %)

Années	Maroc	Marrakech	Agadir	Ouarzazate
1976-1980	0,3	19,5	12,8	0,0
1981-1985	4,8	5,5	4,0	4,3
1986-1990	6,0	8,8	4,9	12,3
1976-1990	3,4	12,1	6,9	8,8
Coefficient de variation	18	56	35	49

Pour l'ensemble du Maroc, la croissance de ce type d'hébergement a été faible entre 1976-1980 mais a ensuite été de 4,8 % en 1981-1985 et de 6 % pour la dernière période, 1986-1990.
Dans les villes touristiques de Marrakech et d'Agadir, les taux d'accroissement annuels moyens ont été très élevés entre 1976 et 1980 avec un taux de 19,5 % pour Marrakech et de 12,8 % pour Agadir. Ainsi, la ville de Marrakech est passée de 764 lits de quatre étoiles en 1976 à 3028 en 1980 ; il s'agit là d'une progression assez phénoménale.
Pour les autres périodes, 1981-1985 et 1986-1990, les taux d'accroissement restent relativement élevés. La ville de Ouarzazate a connu une augmentation très forte pour la dernière période 1986-1990 ; en 1986, il y avait 1759 lits quatre et cinq étoiles et en 1990 il y en avait 2799.
Dans l'avenir, en tenant compte des investissements élevés qui sont nécessaires pour ce type d'établissement, les hôtels quatre et cinq étoiles connaîtront une croissance beaucoup plus faible car l'hôtellerie haut de gamme aura atteint un niveau de saturation.

Les villages de vacances et centres balnéaires

L'hébergement dans les villages de vacances et les centres balnéaires a connu une forte hausse dans les cinq dernières années étudiées.

TABLEAU 21
Taux d'accroissement annuels moyens (moyenne géométrique) de l'offre d'hébergement dans les villages de vacances* et les centres balnéaires au Maroc et dans les villes de Marrakech et d'Agadir (en %)

Années	Maroc	Marrakech	Agadir
1976-1980	0,0	0,0	0,0
1981-1985	0,6	1,0	0,6
1986-1990	10,7	57,3	12,8
1976-1990	5,0	13,2	12,2
Coefficient de variation	20	92	47

* Le village de vacances est un établissement commercial d'hébergement et de loisirs qui offre, selon la formule du forfait à une clientèle constituée essentiellement de touristes et de vacanciers, des unités de logements isolés ou groupés en lotissements et assure des services de restauration et d'animation à caractère collectif adaptés à ce type d'hébergement

Source : *Décret no 2.81.471 du 16 février 1982 instituant un classement des établissements touristiques au Maroc.*

La croissance pour l'ensemble du Maroc a été très importante dans la période 1986-1990 (avec un taux de 10,7 % annuellement). Il faut noter la forte augmentation de Marrakech (avec un taux de 57,3 %) alors que le taux d'accroissement annuel moyen de la ville d'Agadir est comparable à celui du Maroc.

Les résidences touristiques

Le nombre des résidences touristiques a augmenté de façon intéressante de 1981 à 1990 avec un taux d'accroissement annuel moyen (pour le Maroc) de 9,3 % pour cette période.

TABLEAU 22
Taux d'accroissement annuels moyens (moyenne géométrique) de l'offre d'hébergement dans les résidences touristiques* au Maroc et dans les villes de Marrakech et d'Agadir (en %)

Années	Maroc	Marrakech	Agadir
1981-1985	11,5	37,1	15,5
1986-1990	7,0	26,7	-1,0
1981-1990	9,3	31,9	6,9
Coefficient de variation	22	77	17

* La résidence touristique est tout établissement commercial d'hébergement, à vocation touristique, qui offre en location des unités de logement, meublées et dotées d'une cuisine, isolées ou groupées en immeuble ou en lotissements.

Source : *Décret no 2.81.471 du 16 février 1982 instituant un classement des établissements touristiques au Maroc.*

Nous voyons au tableau 22 que c'est la ville de Marrakech qui a connu la progression de ce type d'hébergement la plus forte durant la dernière décennie. En terme absolu, c'est dans la ville d'Agadir que l'on retrouve le plus grand nombre de ce type d'hébergement touristique.

Évolution des différents types d'hébergement touristique depuis 1973

Au graphique 2, nous avons l'évolution indicielle des différents modes d'hébergement touristique, pour l'ensemble du Maroc, de 1973 à 1990 (base 100 = 1980).
Nous pouvons constater ici une baisse graduelle de l'hébergement trois étoiles, une stagnation relative des hôtels une et deux étoiles et une hausse assez forte des hôtels quatre et cinq étoiles ; il y a aussi une progression importante de l'offre d'hébergement des villages de vacances et des centres balnéaires (depuis 1989).
Il semble bien que l'industrie touristique marocaine a misé sur le tourisme extérieur et l'hébergement de luxe dans la dernière décennie. Il y a eu un effort important pour égaler et même dépasser les standards hôteliers occidentaux. Le prochain défi à relever est de

favoriser l'accueil des touristes étrangers dans la classe moyenne, à plus faible revenu.

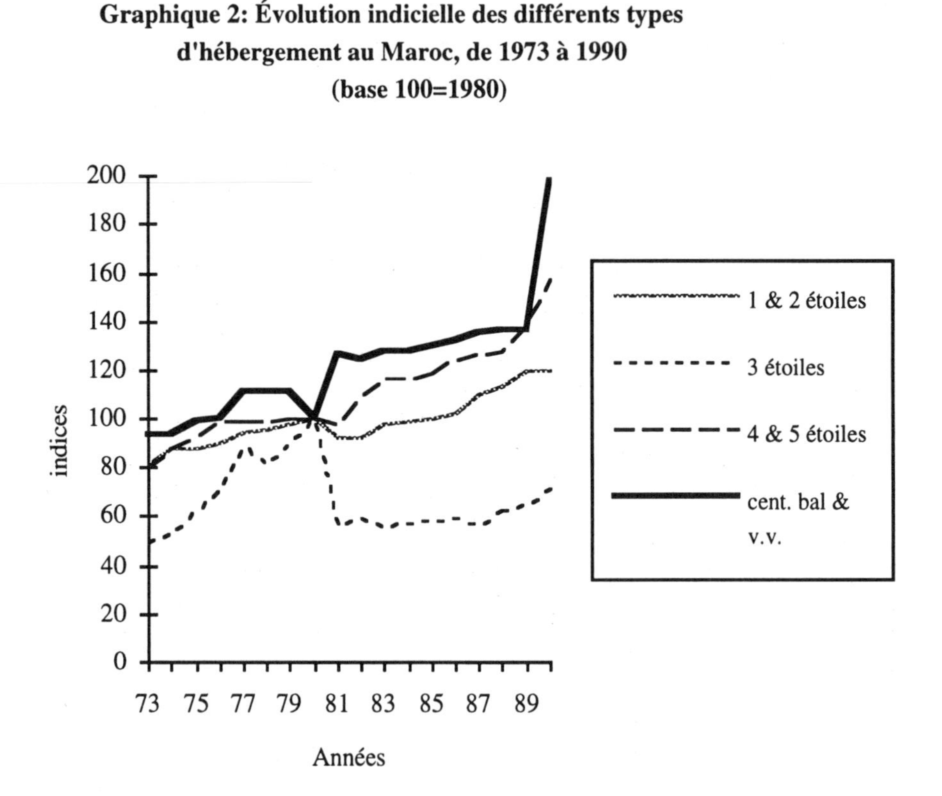

Graphique 2: Évolution indicielle des différents types d'hébergement au Maroc, de 1973 à 1990 (base 100=1980)

La conservation et l'augmentation des hôtels une, deux et trois étoiles pourront servir deux clientèles : les clientèles étrangères moins fortunées et le développement du tourisme intérieur, développement nécessaire pour une croissance équilibrée du système touristique marocain d'ici à l'an 2000.

15- Les mouvements cycliques de l'offre d'hébergement

Dans cette partie, nous tenterons de cerner les différents cycles qui rythment la vie touristique. Habituellement, dans les systèmes touristiques, les cycles liés à l'offre d'hébergement sont relativement faibles car l'offre évolue graduellement dans le temps.

La lecture du cycle se fait à partir d'indices cycliques ; pour ceux-ci, la valeur 100 indique l'absence de variation cyclique. Les valeurs de l'indice, inférieures à 100, signalent une (ou des) phase(s) de baisse ; les valeurs de l'indice, supérieures à 100, désignent une ou des périodes de hausse du cycle.

Les cycles de l'hébergement dans le Monde, en Afrique, en Afrique du Nord et au Maroc

Dans le tableau 23, nous avons les indices cycliques de l'offre d'hébergement dans le Monde, en Afrique, en Afrique du Nord et au Maroc pour la période 1976-1990.

TABLEAU 23
Les indices* cycliques de l'offre d'hébergement dans le Monde, en Afrique, en Afrique du Nord et au Maroc de 1976 à 1990

Années	Monde	Afrique	Afrique du Nord	Maroc
1976	98	140	161	101
1977	104	111	125	108
1978	101	101	109	102
1979	99	89	92	102
1980	98	91	88	101
1981	98	84	80	97
1982	101	82	81	95
1983	101	99	82	95
1984	99	109	99	93
1985	99	108	103	95
1986	100	103	102	98
1987	99	102	104	98
1988	100	98	102	98
1989	100	98	102	103
1990	101	102	107	110

* Indices calculés à partir d'une tendance linéaire.

Dans ce tableau, nous remarquons tout d'abord que les écarts sont limités en ce qui a trait aux indices cycliques de l'ensemble du monde : la valeur la plus basse est 98 et la valeur la plus élevée, 104 ; il y a donc seulement 6 points de différence entre les deux valeurs extrêmes.

Pour l'Afrique, l'intervalle entre la valeur la plus faible et la plus haute est de 58 points ; pour l'Afrique du Nord, la distance est de 80 points. Dans le cas du Maroc, l'intervalle est de 17 points. Nous pouvons déjà présumer que les cycles d'Afrique et d'Afrique du Nord sont puissants et beaucoup plus accentués que ceux du Maroc et du Monde.

Les cycles de l'hébergement au Maroc et dans les villes de Marrakech, Agadir et Ouarzazate

Dans le tableau 24, nous avons les indices cycliques de l'offre d'hébergement au Maroc et dans les villes touristiques de Marrakech, Agadir et Ouarzazate.

TABLEAU 24
Les indices* cycliques de l'offre d'hébergement au Maroc et dans les villes de Marrakech, Agadir et Ouarzazate, de 1976 à 1990

Années	Maroc	Marrakech	Agadir	Ouarzazate
1976	101	97	86	119
1977	108	95	122	117
1978	102	83	110	106
1979	102	82	110	98
1980	101	98	103	85
1981	97	101	108	88
1982	95	97	105	79
1983	95	95	100	66
1984	93	89	94	75
1985	95	91	97	80
1986	98	93	104	84
1987	98	94	99	95
1988	98	93	96	111
1989	103	113	93	127
1990	110	120	104	127

* Indices calculés à partir d'une tendance linéaire.

Pour Marrakech, la valeur la plus élevée est de 120 et la plus faible est de 82, un écart de 38 points. Pour les villes d'Agadir, la valeur la plus haute est de 122 et la donnée la plus basse est de 86, un écart de 36 points. Pour la petite ville de Ouarzazate, l'indice cyclique le plus bas est de 66 et le plus fort est de 127, un écart de 67 points. Nous voyons déjà que Ouarzazate aura les variations cycliques les plus prononcées.

L'avenir du cycle pour l'offre d'hébergement

Les variations cycliques peuvent perturber de façon importante le développement touristique. Selon la force du cycle et son amplitude, il est possible (ou impossible) de prévoir les fluctuations qui y sont reliées. Dans le tableau 25, nous avons quelques statistiques de base touchant les cycles étudiés plus haut.

TABLEAU 25
Les variations des indices cycliques de l'offre d'hébergement dans certaines régions du monde, de 1976 à 1990

Statistiques	Monde	Afrique	Afrique du Nord	Maroc	Marrakech	Agadir	Ouarzazate
Moy.	99,86	101,13	102,46	99,73	96,06	102,06	97,13
Écart-type	1,54	13,3	19,52	4,66	9,51	8,39	19,00
Coef. de var.	1,5 %	13,2 %	19 %	4,7 %	9,9 %	8,2 %	19,6 %

Dans ce tableau, nous avons calculé la moyenne, l'écart-type et le coefficient de variation des indices cycliques pour les régions étudiées.
Les coefficients de variation peuvent être hiérarchisés de la façon suivante (des coefficients les plus faibles aux coefficients les plus élevés) :
1- Monde (1,5 %) ;
2- Maroc (4,7 %) ;
3- Agadir (8,2 %) ;
4- Marrakech (9,9 %) ;
5- Afrique (13,2 %) ;
6- Afrique du Nord (19 %) ;
7- Ouarzazate (19,6 %).
Ainsi, le cycle mondial de l'offre d'hébergement a des variations infimes. Les fluctuations du Maroc sont faibles. Les variations cycliques à Marrakech et Agadir sont d'une ampleur moyenne. Celles de l'Afrique, de l'Afrique du Nord et de Ouarzazate sont très fortes.

Dans le tableau 26, nous avons les variations possibles, dans l'avenir, des indices cycliques avec une marge d'erreur de 5 % (une certitude de 95 %).

TABLEAU 26
Probabilité d'évolution des indices cycliques avec une marge d'erreur de 5 %

Monde/Régions/Pays/Villes	Variations
Monde	±2,94
Afrique	±25,9
Afrique du Nord	±37,2
Maroc	±9,2
Marrakech	±19,4
Agadir	±16,0
Ouarzazate	±38,0

La lecture de ce tableau se fait de la façon suivante :
- pour le Monde dans les 5 prochaines années, les variations des indices cycliques oscilleront entre ± 2,94, donc l'indice variera de 102,94 à 97,06 (avec une probabilité de 5 % de se tromper) ;
- pour le Maroc, ce sera ± 9,2 ou de 109,2 à 90,8.

Pour l'Afrique, l'Afrique du Nord et les trois villes, les variations cycliques seront fortes et difficilement contrôlables. Ces fortes fluctuations indiquent une profonde sensibilité aux conjonctures économiques (et commerciales), politiques et psychosociologiques. Plus les variations sont fortes et plus les prévisions seront difficiles à effectuer.

16- Les prévisions de l'offre touristique

Les modèles prévisionnels sont basés sur l'hypothèse que le passé est garant du présent et de l'avenir. Dans cette perspective, nous avons projeté l'offre d'hébergement de 1991 à l'an 2000.

TABLEAU 27
Prévisions* de l'offre d'hébergement au Maroc de 1991 à l'an 2000

Années	Offre observée	Offre prévue	Intervalles de confiance à 95 %	
			Supérieur	Inférieur
1980	55949	56057	58985	53275
1981	56160	54990	57790	52325
1982	57566	57445	60370	54662
1983	59988	60009	63070	57096
1984	61146	62686	65894	59633
1985	64828	65480	68851	62275
1986	69514	68398	71944	65027
1987	71821	71444	75182	67892
1988	74343	74625	78571	70877
1989	80554	83008	87569	78685
1990	88578	86700	91528	82126
1991		85029	89713	80591
1992		88807	93777	84100
1993		92750	98031	87753
1994		96866	102482	91558
1995		101162	107140	95519
1996		112510	119456	105968
1997		117496	124894	110535
1998		122699	130584	115290
1999		128130	136536	120242
2000		133799	142764	125397

* Il s'agit d'une tendance double logarithmique couplée à un cycle conjoncturel négatif de 1991 à 1995 et positif de 1996 à l'an 2000 ; le $R^2 = 0,9921$ et le DW = 2,573.

Dans cette projection, nous supposons aussi qu'il y aura une période de baisse de 1991 à 1995 et une période de hausse de 1996 à l'an 2000.

La croissance prévue de l'offre sera de 5,2 % par année de 1991 à l'an 2000. Cette croissance sera un peu plus faible que celle observée entre 1986 et 1990 (elle était à ce moment de 6,2 %). Cet accroissement n'est pas énorme mais il est satisfaisant compte tenu des circonstances actuelles. Il est probable qu'il y aura des changements selon le type d'hébergement ; selon l'impact du tourisme intérieur, les niveaux moyens d'hébergement (trois étoiles) devront être favorisés.

V- LA DEMANDE TOURISTIQUE INTERNATIONALE AU MAROC

L'évolution de la demande touristique internationale au Maroc et dans les villes de Marrakech, Agadir et Ouarzazate sera analysée à partir de l'évolution des données brutes des principales variables étudiées (les arrivées des touristes et les nuitées).
La mesure des taux d'accroissement permet, dans un premier temps, une première évaluation empirique de l'évolution de la demande touristique et de ses conséquences. L'évolution des séries temporelles mondiales et celles du Maroc servent de point de référence pour comprendre la progression de la demande dans les villes touristiques choisies.

17- L'évolution récente de la demande touristique

L'évolution de la demande touristique au Maroc, de 1965 à 1990, suit d'assez près l'évolution de la demande mondiale. On constate cependant des variations de 1972 à 1974 et surtout à partir de 1987. De 1987 à 1990, le Maroc a connu (en comparaison) une augmentation fulgurante des arrivées touristiques.
Les villes touristiques de Marrakech et d'Agadir ont vécu une progression semblable de 1970 à 1984 ; par la suite, la ville de Marrakech s'est distanciée fortement de la ville d'Agadir, l'évolution de celle-ci étant stagnante ou en baisse de 1984 à 1990.
La comparaison des nuitées dans les trois villes (Marrakech, Agadir et Ouarzazate) traduit aussi cette coupure dans la série temporelle : les nuitées à Ouarzazate et à Marrakech augmentent fortement tandis qu'elles diminuent à Agadir (et pour l'ensemble du Maroc). Cette évolution de la demande montre bien les pressions qui sont faites sur l'offre d'hébergement.

Les arrivées des touristes étrangers dans le monde, en Afrique et au Maroc

Dans un premier temps, nous avons comparé les arrivées de touristes étrangers dans le Monde, en Afrique et au Maroc.
Nous pouvons remarquer dans au tableau 28 la forte croissance de la demande touristique dans le continent africain ; celle-ci est plus forte que celle des arrivées mondiales. Au Maroc, on constate une baisse très visible du taux d'accroissement des arrivées de 1966 à 1980. Pour les périodes de 1981 à 1990, la croissance est très forte avec une pointe exceptionnelle de 19,3% entre 1986 et 1990. Les variations dans la demande sont aussi très élevées avec 26 % pour le Monde, 45 % pour l'Afrique et 38 % pour le Maroc.

TABLEAU 28
Taux d'accroissement annuels moyens (moyenne géométrique) des arrivées des touristes étrangers dans le Monde, en Afrique et au Maroc de 1966 à 1990* (en %)

Années	Monde	Afrique	Maroc
1966-1970	7,4	9,5	14,1
1971-1975	5,6	13,4	7,9
1976-1980	6,6	11,0	5,0
1981-1985	2,8	4,3	6,2
1986-1990	6,5	12,8	19,3
1966-1990	6,1	9,7	8,5
Coefficient de variation	26	45	38

Source : Organisation mondiale du tourisme, *Annuaire des statistiques du tourisme 1990*, rapports annuels du crédit immobilier et hôtelier (CIH).

TABLEAU 29
Comparaison des taux d'accroissement annuels moyens des arrivées des touristes du Maroc et de l'Afrique, et du Maroc et du Monde, pour différentes périodes

Années	Maroc/Afrique	Maroc/Monde
1966-1970	148	190
1971-1975	59	141
1976-1980	45	76
1981-1985	144	221
1986-1990	151	297
1966-1990	88	139

* Les données utilisées proviennent du tableau 28 ; la formule du calcul est :

$$\frac{\text{Taux Maroc}}{\text{Taux Afrique}} \times 100.$$

Au tableau 29, nous avons une comparaison des arrivées des touristes étrangers Maroc/Afrique et Maroc/Monde pour différentes périodes. On remarque pour la période 1971-1980 que les taux de croissance marocains sont à peine la moitié de ceux de l'Afrique ; pour les périodes de 1966-1970 et de 1981 à 1990, c'est l'inverse qui se produit, le Maroc dépasse fortement l'Afrique dans les taux de croissance.
La croissance des arrivées des touristes au Maroc par rapport au reste du monde est très élevée (sauf pour la période 1976-1980). Par exemple, entre 1986 et 1990, les taux d'accroissement sont, au Maroc, 2,97 fois plus élevés que la croissance mondiale. Depuis une vingtaine d'années, cette dominance du Maroc se maintient.
Cette nette démarcation du Maroc par rapport au reste du continent africain et au reste du monde peut s'expliquer par l'augmentation substantielle des touristes algériens. On est passé de 7400 touristes en 1987 à 375 000 en 1988, à 905 760 en 1989 et à 1 452 640 en 1990 ; le plus fort taux de croissance ayant été enregistré entre 1988 et 1989 avec une variation de +142%[217]. Cette croissance fulgurante trouve sans doute son explication dans la reprise des relations diplomatiques avec l'Algérie en 1988, ces relations étant rompues depuis 1976 en raison de la crise du Sahara occidental. Le marché algérien représente en 1990 près de 50% des arrivées des touristes de nationalité étrangère au Maroc alors qu'en 1987, il ne représentait que 0,4%. L'impact de cette clientèle sur le développement touristique marocain n'est cependant pas évident car pour plusieurs, il ne s'agit que d'une clientèle dont la majorité ne fait que transiter par le Maroc en tant que travailleurs émigrés (aller et retour) ou parce qu'ils sont près des frontières.
Les coefficients de variations traduisent les fortes fluctuations de la demande entre 1966 et 1990. L'industrie touristique marocaine a dû s'adapter, tant bien que mal, à cette forte demande. Ces ajustements apparaissent dans les périodes de consolidation qui suivent les périodes de croissance très forte (par exemple 1966-1970) ; il faut donc s'attendre à un tassement de la croissance dans les périodes 1990-1995 et 1996-2000.

Les parts de marché du Maroc

Au tableau 30, nous avons les parts de marché du Maroc par rapport à l'Afrique et au Monde.

---

[217] Voir MINISTÈRE DU TOURISME (1991), *Le secteur touristique, statistiques 1989*, royaume du Maroc.

TABLEAU 30
Les parts de marché des arrivées des touristes de l'Afrique et du Maroc, par rapport au Monde, pour certaines périodes (en %)

Années	Afrique/Monde	Maroc/Monde	Maroc/Afrique
1976	2,5	0,0041	16,2
1981	3,3	0,0042	12,6
1986	3,3	0,0044	13,6
1990	4,1	0,0070	17,0

Nous remarquons ici que les parts de marché de l'Afrique, par rapport au Monde, augmentent graduellement (sauf pour la période 1982-1986 où la demande est stagnante). Les parts de marché du Maroc, dans l'ensemble mondial, se font plus importantes d'année en année depuis 1976. La situation du Maroc en Afrique a connu une baisse en 1981 ; les parts de marché se sont élevées de 12,6 % à 17 % en 1990.

Les arrivées des touristes étrangers au Maroc et dans les villes de Marrakech, Agadir et Ouarzazate

Dans cette partie, nous allons étudier les arrivées de touristes étrangers au Maroc et dans les villes de Marrakech, Agadir et Ouarzazate.

TABLEAU 31
Taux d'accroissement annuels moyens (moyenne géométrique) des arrivées des touristes étrangers au Maroc et dans les villes de Marrakech, Agadir et Ouarzazate de 1971 à 1990 (en %)

Années	Maroc	Marrakech	Agadir	Ouarzazate
1971-1975	7,9	31,7	25,9	-
1976-1980	4,9	8,3	21,1	-
1981-1985	6,2	11,6	14,5	-
1986-1990	19,2	7,6	-0,6	16,6
1971-1990	7,5	13,4	11,3	16,6
Coefficient de variation de 1971-1990	38	58	52	22

Les comparaisons entre le Maroc et les villes de Marrakech, Agadir et Ouarzazate indiquent que les villes de Marrakech et d'Agadir ont connu des croissances très élevées, dans les arrivées de touristes, entre 1971 et 1980. À l'inverse, le Maroc dans son ensemble, a eu une croissance très élevée dans la période 1986-1990, alors qu'Agadir avait une décroissance de -0,6%. L'évolution de la demande à l'endroit d'Agadir correspond au cycle classique de vie d'un nouveau produit : croissance très rapide suivie d'une période plus ou moins longue de stabilisation. On remarque aussi les fortes variations de la demande : 58 % pour Marrakech et 52 % pour Agadir.
Ce déclin marqué pour Agadir s'explique par divers facteurs. Le premier et sans doute le plus important, est lié au vieillissement de l'infrastructure hôtelière. Il y a eu au cours des années un véritable laisser-aller, à tel point que les autorités ont dû procéder au déclassement de certaines unités hôtelières pour les forcer à rénover. L'autre facteur important relève du manque de promotion pour le produit Agadir, ou à tout le moins d'une mauvaise promotion. Alors qu'à ses débuts Agadir étant vendue comme une station balnéaire trois « S » sans aucune publicité, on se rend compte que pour faire face à la concurrence internationale, une véritable stratégie promotionnelle s'impose. Enfin, un désintéressement marqué pour le tourisme national n'a pas aidé à la situation.
Les taux observés dans les trois villes sont plus élevés, règle générale, que ceux que l'on retrouvent, ces dernières années, dans les pays occidentaux. Ces taux sont une juste mesure de « la bonne santé » de l'industrie touristique dans ces villes (à l'exception de la période 1986-1990 pour Agadir). Les coefficients de variation indiquent bien la forte évolution de la demande touristique et particulièrement à Marrakech et à Agadir.

Les nuitées des touristes au Maroc et dans les villes de Marrakech, Agadir et Ouarzazate

Les nuitées des touristes donnent aussi de bons indicateurs pour évaluer la performance de l'industrie touristique. Dans le tableau 32, nous voyons l'évolution des taux d'accroissement annuels des nuitées pour le Maroc et les villes de Marrakech, Agadir et Ouarzazate.

TABLEAU 32
Taux d'accroissement annuels moyens
(moyenne géométrique)
des nuitées au Maroc et dans les villes de Marrakech, Agadir et Ouarzazate de 1981 à 1990 (en %)

Années	Maroc	Marrakech	Agadir	Ouarzazate
1981-1985	6,16	9,9	8,6	4,4
1986-1990	1,3	4,5	-1,6	6,0
1971-1990	3,4	7,5	3,0	7,0
Coefficient de variation de 1981-1990	14	28	20	29

À l'exception de Ouarzazate, qui est une destination touristique récente, on peut remarquer (dans le tableau 32) une dégringolade des taux d'accroissement annuels moyens quand l'on compare la période allant de 1981 à 1985 avec celle de 1986 à 1990. Ces taux sont assez semblables à ceux calculés dans les pays développés. Il faut souligner aussi la baisse notable des nuitées à Agadir. Par contre, on voit aussi que Ouarzazate continue sur sa lancée. Les produits (villes touristiques) diffèrent par leurs âges et les types d'attraction qui les identifient ; ce sont ces éléments qui vont moduler le développement touristique de ces villes.
Le ralentissement du TAAM des nuitées au cours des dernières années (1986-1990) au Maroc et pour les villes de Marrakech et surtout Agadir correspond à la tendance générale observée au Maroc dans la diminution de la durée moyenne de séjour. Celle-ci est ainsi passée de 11 jours en 1987 à 9 jours en 1988 et à 7 jours en 1989[218]. Quant au ralentissement marqué pour Agadir, il est fortement lié à la crise structurelle qu'a connue cette ville au cours des dernières années et dont nous avons parlé.
Les coefficients de variation se lisent de la même façon : faiblesse relative du Maroc dans son ensemble ; un fort développement dans les villes de Marrakech et Ouarzazate et une croissance plus faible, toutes proportions gardées, à Agadir. L'étude des séries chronologiques des nuitées indiquent aussi l'impact d'un cycle conjoncturel qui débute en 1989 (sauf pour la ville de Ouarzazate)[219] ;

---

[218] Voir MINISTÈRE DU TOURISME (1991), *Le secteur touristique,, op. cit.*
[219] Ce cycle est très visible à la lecture des indices cycliques qui n'apparaissent pas ici.

on peut déjà faire l'hypothèse que ce cycle de baisse se prolongera pendant trois ou quatre années et qu'il sera un frein important au développement touristique des prochaines années.
Afin de mieux cerner l'évolution des nuitées au Maroc, à Marrakech et à Agadir, nous avons construit un modèle de régression[220] de la forme suivante : Nuitées = F (arrivées). Les résultats de ce modèle indiquent que pour le Maroc, chacune des arrivées de touristes « produit » 1,77 nuitées. Pour la ville de Marrakech, chacune des arrivées donne 7,14 nuitées, et 9,97 nuitées pour Agadir. Nous pouvons constater que les villes touristiques ont un grand pouvoir de rétention en terme de nuitées.

L'évolution récente : la crise du Golfe

En 1991, l'industrie touristique marocaine a été fortement perturbée par les séquelles de la crise du Golfe (guerre Irak/Nations Unies). Les arrivées des touristes internationaux ont diminué d'environ 30 % entre 1990 et 1991. L'aéroport de la Ménara à Marrakech a connu une baisse de 58 % pendant cette période et celui d'Agadir, une diminution de 35 %[221].
Les nuitées, qui sont un excellent indicateur de la santé de l'industrie touristique, ont régressé de 5,7 % (pour l'ensemble du Maroc) de 1989 à 1990 et de 36,5 % de 1990 à 1991. Cette baisse a eu un effet dévastateur sur les recettes touristiques qui ont diminué de 16,4 % de 1990 à 1991[222].
Il semble qu'en 1992 la situation touristique se soit partiellement rétablie avec une augmentation de près de 51 % des touristes européens. Pour l'ensemble des touristes étrangers, de l'année 1990 à 1992, la progression se chiffre à 9 %[223]. Pour le premier trimestre 1993, par rapport au premier trimestre 1992, la croissance des arrivées a été de 7,8 %.
Cette crise politico-militaire a obligé l'industrie touristique marocaine à s'ajuster très rapidement à une baisse sensible de ses clientèles traditionnelles. Les pays maghrébins (en particulier l'Algérie) et le tourisme intérieur ont contribué à limiter les effets néfastes de cette crise. Ce triste épisode indique la profonde dépendance de l'industrie touristique marocaine par rapport au tourisme international.

---

[220] Tous les tests sont significatifs au seuil de 0,01 et le R^2 se situe entre 0,87 et 0,98.
[221] Ces données proviennent de (1992) la *Revue d'information BMCE*, février, pp. 2-8.
[222] *Ibid.*
[223] Voir (1993), « Le bilan touristique de l'année 1992 », *La vie touristique africaine*, 31 janvier, p. 7.

Une croissance déséquilibrée

Le Maroc a connu, entre 1966 et 1990, une forte augmentation des arrivées des touristes étrangers et il a dû s'ajuster assez rapidement à cette demande en expansion. Cette croissance est amplifiée dans les villes touristiques du royaume et particulièrement dans les villes de Marrakech et d'Agadir. Le développement semble se faire par paliers avec des phases de fortes hausses, des périodes de consolidation et des périodes de baisse. La croissance touristique a rarement une évolution linéaire ; il s'agit la plupart du temps, d'une croissance déséquilibrée (au sens de Schumpeter).

Les nuitées nous donnent, peut-être, une perception plus stricte de l'évolution puisqu'elles établissent les revenus réels du développement du tourisme. La lecture des taux d'accroissement annuels moyens au Maroc et dans les villes touristiques de Marrakech, Agadir et Ouarzazate indique que les retombées financières de cette croissance sont moins élevées que l'on pourrait le croire. Elle indique aussi un déclin graduel des nuitées et un retour à une certaine normalité dans le développement touristique du Maroc. Cette lecture traduit aussi, d'une certaine façon, la banalisation du produit touristique marocain et son entrée dans la vaste corrida du marché touristique international.

Les principaux éléments de l'industrie touristique marocaine se sont bâtis dans les vingt dernières années. Au plan international, ce développement apparaît, malgré tout, comme un simple rattrapage des pays développés ; on oublie souvent que ceux-ci détiennent plus de 75% du marché mondial du tourisme[224]. Les forts taux de croissance des pays en voie de développement ne sont qu'un réajustement historique.

L'analyse des tendances récentes du tourisme au Maroc montre une normalisation des arrivées et des nuitées. Nous pouvons supposer que cette normalisation va entraîner de profondes mutations ; ces changements auront des effets directs sur l'ensemble du système touristique. L'industrie touristique marocaine devra donc, dans les prochaines années, répondre à plusieurs défis :

- celui de la transformation des clientèles extérieures ;
- celui de l'accroissement de la demande touristique intérieure ;
- celui du rajeunissement des produits touristiques (raffinement des attractions et des circuits) ;
- celui de la forte concurrence du tourisme mondial dans la perspective de la globalisation des marchés.

Cette évolution a aussi certaines conséquences pour les villes touristiques étudiées :

---

[224] Voir à ce sujet: Paul BODSON et Jean STAFFORD (1987), « L'évolution des flux des touristes dans les grandes régions du monde », *Téoros*, vol. 6, no 3, Montréal, décembre.

- une forte pression sur l'offre touristique ;
- l'exigence de standards internationaux dans l'hébergement ;
- des pressions exercées sur l'espace urbain ;
- enfin, une rationalisation et une ritualisation des attractions touristiques.

Ces différents points seront étudiés plus en profondeur par la suite.

18- L'analyse de la saisonnalité de la demande

La saisonnalité fait partie intégrante de toute analyse de l'évolution touristique. La demande touristique est rythmée par les mouvements saisonniers. Ceux-ci déterminent les mois de l'année où il y aura soit surutilisation ou soit sous-utilisation du personnel, des attractions et de l'ensemble des équipements touristiques.
Le coefficient saisonnier est le meilleur outil pour capter la saisonnalité et lui donner une forme analysable. Les coefficients saisonniers correspondent à un modèle théorique de la saisonnalité. L'indice du coefficient saisonnier se lit comme suit : la valeur 100 correspond à la moyenne annuelle de la variable ; les valeurs supérieures à 100 indiquent une hausse par rapport à cette valeur moyenne ; les valeurs inférieures à 100 indiquent une baisse par rapport à cette valeur moyenne.
La méthode de Siskin (Census Method 11) utilisée ici suit les étapes suivantes :

1) calcul de la moyenne lissée (12 périodes) ;
2) correction des valeurs extrêmes ;
3) premier calcul des coefficients saisonniers ;
4) calcul de la moyenne ;
5) moyenne lissée ;
6) coefficients saisonniers standardisés.

L'étude des coefficients saisonniers

Pour le Maroc, nous ne disposons que des arrivées par mois pour l'ensemble du pays ; cependant nous pouvons faire l'hypothèse que les coefficients saisonniers calculés sont valables pour les villes touristiques étudiées. Le tableau 33 présente les coefficients saisonniers par mois et pour différentes années (1991 étant une prévision des coefficients saisonniers).
En considérant l'année la plus récente des données observées en 1990, on constate (voir tableau 33) que les mois les plus achalandés sont, par ordre d'importance :

1- le mois d'août avec 149 ;
2- le mois de juillet avec 128 ;
3- le mois de mars avec 113 ;
4- le mois d'avril avec 112 ;

5- et enfin le mois de septembre avec 105.

Le mois de novembre obtient la valeur la plus faible avec 72. Pour les douze mois de l'année, les valeurs des coefficients saisonniers sont relativement élevés si on les compare à d'autres destinations touristiques internationales. Il y a donc une certaine intensité de la fréquentation touristique sur l'année ce qui est un atout incontestable ; un atout qui ferait l'envie de bien d'autres pays si les arrivées étaient un peu plus fortes pour les mois de mai et juin ainsi que le mois de novembre.

TABLEAU 33
Les coefficients saisonniers (CS)* des arrivées des touristes au Maroc en 1980, 1985, 1990 et 1991**

Années	Mois											
	1	2	3	4	5	6	7	8	9	10	11	12
1980	75	76	104	122	99	91	125	148	114	91	73	82
1985	77	77	110	117	99	90	125	145	106	94	75	85
1990	80	82	113	112	88	90	128	149	105	93	72	88
1991	80	82	112	112	88	90	128	149	105	93	72	88
Moy. des CS de 1980 à 1990	77	79	109	116	95	90	126	147	108	93	73	85

* Il s'agit ici des coefficients saisonniers standardisés calculés par la méthode X11 du Census Bureau (USA).

** Pour 1991, il s'agit d'une estimation du modèle.

Forces et faiblesses de la saisonnalité

Les arrivées des touristes ont varié dans le temps selon les différents mois. Nous voyons cette évolution des pertes et des gains en comparant les mois de l'année 1980 aux mois de l'année 1990 (voir tableau 34).

TABLEAU 34
Comparaisons des coefficients saisonniers des arrivées des touristesau Maroc pour les différents mois des années 1980 et 1990

Mois	Pertes/Gains (1980-1990)
janvier	+5
février	+6
mars	+8
avril	-10
mai	-11
juin	-1
juillet	+3
août	+1
septembre	-9
octobre	+2
novembre	-1
décembre	+6

Les mois de janvier, février et mars ont connu une progression intéressante de leurs indices saisonniers ; par contre, les mois d'avril et de mai ont subi une baisse assez importante. Les mois de juin, juillet et août sont remarquablement stables. Il faut noter une baisse pour le mois de septembre et un accroissement significatif en décembre. Les mois d'hiver ont connu une hausse aux dépens des mois du printemps (surtout avril et mai) et de septembre.
La saisonnalité au Maroc et dans les villes touristiques semble relativement stable et bien étalée sur tous les mois de l'année. Cette situation est un atout important pour le développement touristique car la saisonnalité constitue un invariant dans l'analyse de l'évolution de la demande.

19- L'étude des mouvements cycliques de la demande

La série temporelle, au plan théorique, peut se décomposer en différents mouvements : la tendance, les mouvements cycliques, saisonniers et irréguliers. Il est relativement facile de saisir la tendance générale d'une série chronologique et de normaliser la saisonnalité à l'aide de coefficients qui expriment ces fluctuations.
Les phénomènes cycliques sont des variations à moyen terme et à long terme qui expriment l'influence de la conjoncture économique nationale et/ou internationale. Les phénomènes irréguliers sont les

aléas du système ; ils résument une foule de perturbations généralement difficiles à identifier.

Le cycle du tourisme dans le monde, en Afrique et au Maroc

Les indices cycliques donnent une assez bonne mesure de l'évolution de la conjoncture. Dans le tableau 35, nous avons les indices cycliques des arrivées des touristes dans le monde, en Afrique et au Maroc pour les périodes allant de 1970 à 1990. L'Afrique et le Maroc ont une évolution cyclique différente du reste du monde ; on voit une progression de 1970 à 1975 et une baisse généralisée de 1976 à 1987 (à l'exception de 1980 et 1981 pour l'Afrique).
Il y a disparité entre l'évolution cyclique en Afrique et la conjoncture internationale. De plus, les fluctuations cycliques sont plus fortes dans cette région. Par exemple, pour l'Afrique, l'écart-type des fluctuations est de 11,1 % (pour le Maroc de 20,8 %) alors que pour le reste du monde, l'écart-type est de 4,2 %. Avec une marge d'erreur de 5 %, le cycle des arrivées au Maroc oscillerait dans l'avenir entre ± 41, c'est-à-dire de l'indice 59 à l'indice 141. Il faut donc s'attendre, au Maroc, à des fluctuations cycliques très élevées.
Pour l'Afrique, ces fluctuations varieront entre ± 22, ou de l'indice 78 à 122 (toujours avec une marge d'erreur de 5 %). Pour le monde, les variations seront faibles, en deçà de 10 % ; les indices cycliques varieront seulement de ± 8 %, ce qui suppose des fluctuations assez faibles pour le futur.

TABLEAU 35
Indices cycliques* des arrivées des touristes dans le Monde, en Afrique et au Maroc de 1970 à 1990

Années	Monde	Afrique	Maroc
1970	103	124	116
1971	103	118	112
1972	102	117	131
1973	99	104	149
1974	97	103	117
1975	99	106	106
1976	97	93	86
1977	100	86	95
1978	103	85	93
1979	104	93	85
1980	104	100	82
1981	101	106	85
1982	96	97	86
1983	91	95	82
1984	97	97	81
1985	96	99	90
1986	95	89	82
1987	100	92	84
1988	103	109	102
1989	108	115	125
1990	108	120	143
Moyenne	100,28	102,28	101,52
Écart-type	4,1764	11,1916	20,8409
Coefficient de variation	4,2 %	10,9 %	20,5 %

* Indices calculés à partir d'une tendance linéaire.

Le cycle des nuitées au Maroc et dans les villes de Marrakech, Agadir et Ouarzazate

La variable nuitée est un bon moyen d'évaluer la performance touristique. Au tableau 36, nous avons les indices cycliques des nuitées au Maroc et dans les villes touristiques de Marrakech, Agadir

et Ouarzazate. Nous pouvons constater de nettes divergences dans les fluctuations cycliques des trois villes. Marrakech et Ouarzazate ont des mouvements cycliques relativement semblables (ces villes touristiques se rapprochent aussi des fluctuations cycliques de l'ensemble du Maroc). La ville d'Agadir connaît un cycle touristique positif entre 1982 et 1985 alors que la situation économique nationale et internationale est en crise. Agadir connaît donc sept années florissantes, pour les nuitées, de 1982 à 1988.
Les coefficients cycliques (écarts types des variations) sont de 2,6 % pour le Maroc, de 7,6 % pour Marrakech, de 11 % pour Agadir et de 8,9 % pour Ouarzazate. Il y a donc une influence notable du cycle économique sur le tourisme à Agadir ; influence un peu moins forte à Ouarzazate et à Marrakech et assez faible pour le Maroc dans son ensemble. Il faut dire aussi que la force des fluctuations cycliques est plus faible au Maroc (et dans les villes touristiques étudiées) que dans d'autres destinations touristiques internationales.

TABLEAU 36
Indices cycliques* des nuitées au Maroc et dans les villes
de Marrakech, Agadir et Ouarzazate de 1978 à 1990

Années	Maroc	Marrakech	Agadir	Ouarzazate
1978	100	120	71	114
1979	99	103	96	110
1980	102	101	111	104
1981	95	92	97	105
1982	99	94	102	97
1983	99	92	106	83
1984	101	92	111	85
1985	103	98	110	90
1986	101	101	106	103
1987	103	108	104	105
1988	102	104	103	101
1989	101	104	93	105
1990	94	96	85	103

* Indices calculés à partir d'une tendance linéaire.

Les variations cycliques futures pour Marrakech seront de ± 15 (avec toujours une probabilité d'erreur de 5 %) ; elles seront de ± 22 pour Agadir. Donc, il faut s'attendre à des fluctuations cycliques moyennes pour ces deux villes dans les prochaines années.

20- Les prévisions de la demande touristique internationale

Pour les arrivées des touristes étrangers au Maroc, des prévisions à long terme (jusqu'à l'an 2000) ont été faites. Ces prévisions apparaissent dans le tableau 37, qui présente les arrivées observées et les arrivées prévues (avec le modèle mathématique) pour la période 1980-1990. Nous pouvons remarquer que l'ajustement, assuré par le modèle, est assez précis (sauf peut-être pour 1990).
Pour les prévisions du tableau 37, nous supposons une baisse du cycle de 1991 à 1995 et une hausse de 1996 à l'an 2000. La croissance prévue des arrivées des touristes devrait être de 6,7 % par année en moyenne ; cette hypothèse semble réaliste car la croissance réelle, par année, de 1981 à 1990, a été de 10,6 %. Ainsi, le nombre d'arrivées au Maroc atteindrait, à l'an 2000, 4,5 millions.
Ces données indiquent bien que le tourisme est, au Maroc, une industrie en croissance ; elles montrent que la demande touristique demeurera assez forte jusqu'à l'an 2000. Seuls des changements politiques et sociaux majeurs pourraient réduire cette croissance. Donc, le tourisme au Maroc semble là pour rester. Cette tendance va consolider et augmenter l'intérêt pour les villes touristiques du Maroc qui deviendront, avec leurs principales attractions, les vitrines du Maroc comme destination touristique internationale.

TABLEAU 37
Prévisions* des arrivées des touristes étrangers au Maroc de 1991 à 2000

Années	Arrivées observée	Arrivées prévue	Intervalles de confiance à 95 %	
			Supérieur	Inférieur
1980	1097241	1210006	1810223	808803
1981	1205886	1291605	1933833	862661
1982	1287809	1378661	2066352	919836
1983	1283300	1471536	2208448	980516
1984	1335041	1570616	2360840	1044898
1985	1536563	1676313	2524299	1113190
1986	1470637	1789063	2699656	1185614
1987	1566254	1909335	2887803	1262400
1988	1978420	2037626	3089700	1343794
1989	2515251	2174465	3306380	1430053
1990	2978366	2320419	3538953	1521451
1991		2476088	3788610	1618275
1992		2642114	4056634	1720828
1993		2819181	4344404	1829430
1994		3008016	4653402	1944419
1995		3209396	4985220	2066153
1996		3424147	5341570	2195006
1997		3653148	5724294	2331378
1998		3897339	6135368	2475687
1999		4157717	6576920	2628376
2000		4435348	7051233	2789911

* Il s'agit d'une tendance double logarithmique couplée à un cycle conjoncturel négatif de 1991 à 1995 et positif de 1996 à 2000 ; le R^2 est de 0,9649 et le DW : 1,529.

VI- QUELQUES ÉLÉMENTS DE PROSPECTIVE DU DÉVELOPPEMENT TOURISTIQUE AU MAROC

L'analyse de l'évolution historique et de la planification économique, l'étude des séries chronologiques, les projections dans le futur permettent d'élaborer des éléments de prospective touristique pour le Maroc. La démarche prospective se greffe à la démarche prévisionnelle quantitative. Les étapes simplifiées de l'approche prospective sont les suivantes :

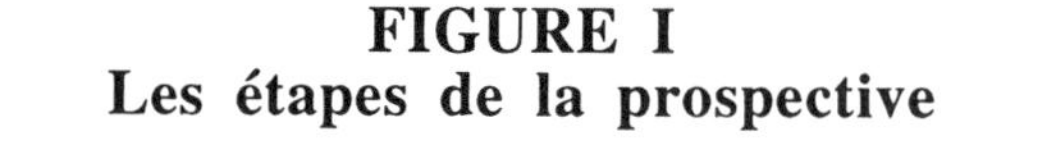

FIGURE I
Les étapes de la prospective

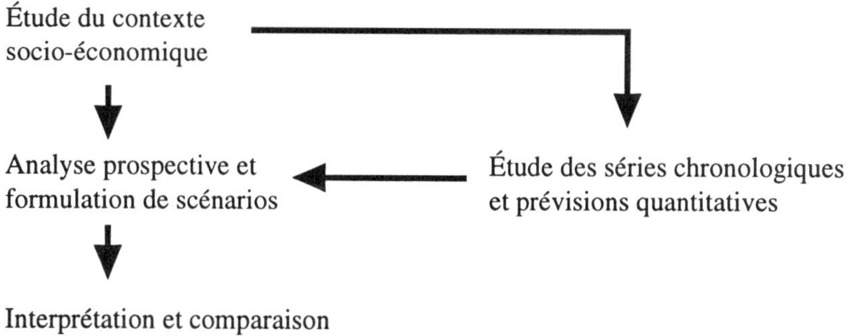

La démarche prospective démarre avec l'étude des prévisions quantitatives ; il s'agit d'évaluer la cohérence de ces projections quantitatives en tenant compte de la force des facteurs structurants et des facteurs déstructurants possibles dans le long terme (ici, l'an 2000).
Par la suite, il faut formuler des scénarios de l'évolution ; ces scénarios suivent l'étude prospective, habituellement ce sont les conséquences des tendances perçues à travers le filtre de l'analyse prospective. Les scénarios tendanciels sont des scénarios « glissants » en ce sens qu'ils peuvent facilement être substitués les uns aux autres.
Certains scénarios peuvent aussi être construits à partir de l'hypothèse de changements brusques dans l'évolution tendancielle (ces changements peuvent être variés, d'amplitude différente et, dans certains cas, multiplicatifs). Les scénarios bâtis sur l'hypothèse d'une rupture de l'évolution observée ne font, en fait, que remplacer un type de tendance par un autre. Il fait appel à d'autres tendances

plus qualitatives ; ces tendances sont axées soit sur la détérioration et la délitescence des structures socio-économiques ou soit sur la restauration de ces mêmes structures.
Il s'agit donc, dans la construction de scénarios, de penser l'avenir du Maroc en terme de développement touristique. Ce développement touristique à long terme peut se faire en continuité avec les tendances observées dans les quinze dernières années ou en rupture plus ou moins forte avec celles-ci ; plusieurs variantes sont possibles même si leur nombre est limité. Afin de simplifier l'analyse, nous avons bâti quatre scénarios à partir de quatre hypothèses de développement touristique au Maroc.

21- Deux scénarios tendanciels : un développement presque sans surprise

Notre premier scénario est un scénario tendanciel majeur ; il suppose la permanence et la continuité des tendances présentées dans le chapitre IV (L'offre touristique marocaine) et le chapitre V (La demande touristique internationale au Maroc). Plus précisément, il repose sur les hypothèses suivantes :

- une croissance soutenue de la demande touristique internationale (les entrées) qui oscillerait entre 6 % et 8 % par année jusqu'en l'an 2000 ;
- une augmentation constante de l'offre d'hébergement d'environ 5 % par année.

La progression de la demande touristique internationale a été, au Maroc, de 1976 à 1990, de 7,5 % par année ; les résultats du modèle prévisionnel adopté donne un taux d'accroissement annuel moyen de 6,7 % de 1991 à l'an 2000. De 1976 à 1990, l'offre touristique s'est diversifiée et les standards de qualité internationaux ont été atteints et même dépassés. Pendant cette même période, l'industrie touristique s'est modifiée en profondeur et est devenue une industrie à part entière.
D'autres variables qualitatives jouent en faveur de ce scénario tendanciel, mentionnons :

- une relative stabilité sociale et politique malgré l'absence de vie démocratique ;
- un profond rétablissement de l'économie nationale, qui a coûté très cher socialement, mais qui donne une plus grande marge de manoeuvre au gouvernement en place.

Il faut aussi souligner l'intégration graduelle du Maroc dans l'économie internationale et plus particulièrement dans la zone méditerranéenne. Des accords plus formels, d'association et de coopération économiques, seront signés avec la Communauté économique européenne (CEE) dans les deux prochaines années. Ces liens avec l'Europe et le reste du monde auront des effets bénéfiques

sur l'industrie touristique, notamment pour les voyages d'affaires et de congrès.
Dans ce premier scénario tendanciel, les facteurs structurants sont dominants et consolident les tendances prévisionnelles déjà énoncées.
Ce scénario peut être représenté par un schéma.

FIGURE II
Premier scénario : un scénario tendanciel sans surprise

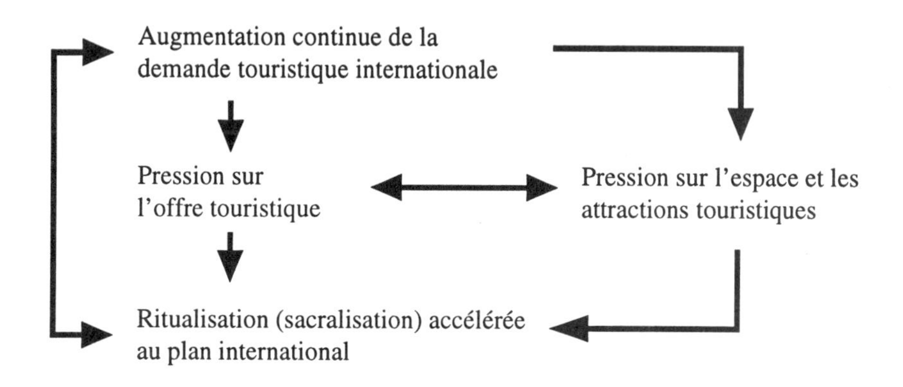

Ce scénario présente une vision linéaire du développement touristique du Maroc dans les prochaines années. Le système causal est simple : l'augmentation constante des entrées de touristes étrangers amène de fortes pressions sur l'offre (hébergement, restauration, etc.) ; elle entraîne aussi des tensions dans l'allocation des espaces urbains et ruraux (les objectifs de développement touristique ne coïncident pas nécessairement avec les autres finalités économiques ou sociales).
Ces pressions multiples provoqueront une forte ritualisation (au sens de MacCannell) des principales attractions touristiques. Le niveau de « sacralisation » des attractions touristiques dépend d'une part du caractère historique de l'attraction (l'ancienneté est un atout important) et, d'autre part, du degré de fréquentation de l'attraction en question. La « sacralisation » (ou la ritualisation) est un élément très important de l'image et du marketing touristique.
Quand certains lieux touristiques sont ritualisés, ils deviennent des endroits de visites obligatoires dans l'éthos du tourisme contemporain. On peut dire que plus un lieu touristique est visité, plus il sera visité dans l'avenir. La ritualisation des attractions touristiques marocaines aura un effet d'entraînement important sur la demande touristique internationale future du Maroc.
Le deuxième scénario tendanciel suppose l'apparition d'un nouvel acteur sur la scène touristique du Maroc. Ce nouvel acteur ce sont les

touristes marocains eux-mêmes. Ces nouveaux touristes compteraient pour environ 18 % à 20 % des nuitées[225]. L'évolution de ce nouveau phénomène est fortement relié à la situation socio-économique et plus particulièrement à la progression des revenus des ménages.
Malgré tout, il faut s'attendre à une forte augmentation de ce segment des clientèles touristiques. L'industrie touristique marocaine devra composer avec les touristes nationaux et les touristes internationaux. L'évolution des relations entre le tourisme national et le tourisme international pourrait se faire de la façon suivante (voir figure III) :

FIGURE III
Évolution possible des relations entre le tourisme national et le tourisme international

		Participation du tourisme national	
		Faible	Forte
Participation du tourisme international	Forte	A	B
	Faible	C	D

La situation A correspond à une faible participation du tourisme national (dans l'ensemble des nuitées annuelles par exemple) et à une forte participation du tourisme international dans l'économie touristique marocaine ; c'est un peu la situation actuelle, la prolongation des tendances observées depuis 1976.
La situation B suppose une forte croissance des deux formes de tourisme (dans le long terme) et une concurrence dans l'utilisation des moyens d'hébergement et des différents sites touristiques. L'industrie touristique marocaine devra s'employer à satisfaire ces deux types de clientèles. Cette évolution pourrait avoir un impact profond sur le développement touristique marocain en réduisant l'opposition quasi-naturelle résident/étranger. Elle permettrait aussi à l'industrie touristique de ne plus dépendre uniquement du tourisme international.

---

[225] Voir Mohamed BERRIANE (1992), *Tourisme national et migrations de loisirs au Maroc (étude géographique)*, Publications de la Faculté des lettres et des sciences humaines, Série thèses et mémoires no 16, Rabat, p. 445.

Dans ce schéma, à partir de la situation B, deux nouvelles situations sont possibles. En C, la participation des touristes nationaux et internationaux est faible ; cette situation amènerait une dégradation de l'économie touristique et une sous-utilisation des équipements et de la main-d'oeuvre employés dans les entreprises à vocation touristique. Dans la situation D, la participation du tourisme international est faible et la participation du tourisme national est forte. Ce mini-scénario suppose une très forte augmentation du niveau de vie au Maroc et une grande période de forte prospérité économique.
L'évolution « naturelle » du tourisme marocain devrait se faire de la situation A, vers B et D. Les situations B et D supposent l'entrée du Maroc dans la postmodernité où le tourisme est une activité totalement intégrée à l'activité sociale ; dans ce type de société, tout le monde est touriste et la démarcation touriste/non-touriste est inexistante. Il faut quand même noter que les situations B et D sont peu probables dans le moyen terme.
Le deuxième scénario tendanciel représente l'accès à la postmodernité ; il est bâti en fonction de certaines hypothèses de changements dans les comportements touristiques des Marocains eux-mêmes. Ces changements sont déjà perceptibles actuellement au Maroc : une certaine partie de la population a déjà accès aux vacances et au tourisme ; cette tendance pourrait se développer, sous certaines conditions, dans le moyen terme et le long terme. Nous pouvons résumer les principaux éléments de ce deuxième scénario tendanciel (voir figure IV).

FIGURE IV
Deuxième scénario tendanciel : l'accès à la postmodernité par le tourisme

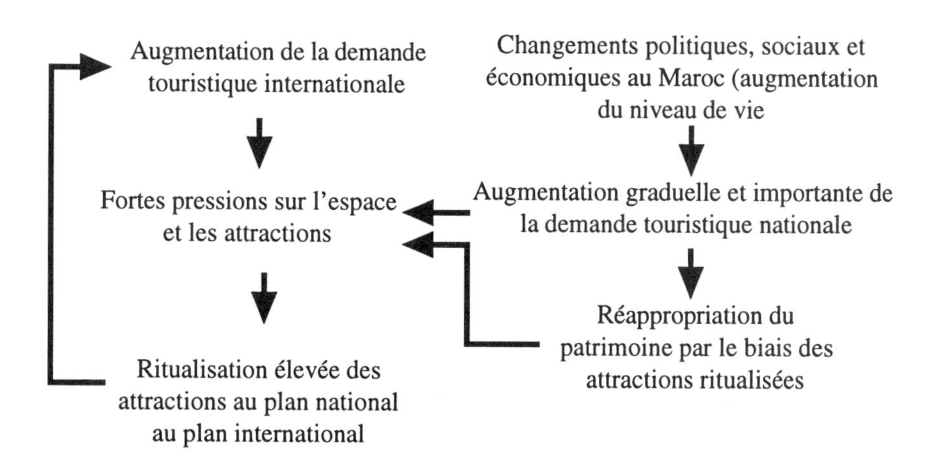

Ce deuxième scénario tendanciel, beaucoup plus complexe que celui du premier scénario, suppose chez les Marocains, après des changements politiques, sociaux et économiques, un large accès à la postmodernité que constituent les départs en vacances (le tourisme). Les conséquences de ce développement seront une lutte très forte pour l'espace à partir de deux demandes touristiques différentes. Cette situation peut déboucher sur des conflits ou sur un partage harmonieux des équipements disponibles. C'est d'ailleurs ce que révèle la dernière étude de M. Berriane dans laquelle il analyse les relations entre tourisme national et tourisme international, qui peuvent se traduire en terme de conflit ou de complémentarité. Ainsi, bien que la complémentarité entre les deux types de tourisme puisse s'observer au niveau de la saisonnalité, « le lancement d'une station touristique moderne destinée au tourisme international se fait parfois au détriment des estivants marocains qui fréquentent le plus souvent en campeurs, des sites vierges encore disponibles » [226].
Il faut aussi noter certains phénomènes de rétroaction qui vont contribuer à cette exacerbation du développement touristique. La réappropriation du patrimoine par les nationaux peut accentuer la ritualisation des attractions et aura des effets similaires sur la demande nationale et sur la demande internationale.
Dans tous les cas, ce scénario mène à un développement touristique exacerbé, à une certaine pénurie des ressources et à une transformation de l'industrie touristique.

22- Un scénario de la stagnation : le présent amplifié

Le troisième scénario peut êre présenté comme un scénario de rupture avec les tendances passées ; on peut aussi le présenter comme un scénario tendanciel s'appuyant sur une évolution récente. Ce scénario de la stagnation a comme toile de fond une récession économique qui touche la plupart des pays occidentaux depuis 1991. Cette période de ralentissement économique a un impact majeur sur la société marocaine.
Depuis 1991, la croissance est négative et le déficit du commerce extérieur s'est amplifié (en 1991 et en 1992). Cette conjoncture économique difficile a de profondes répercussions sociales. Déjà, les programmes d'ajustements structurels du Fond monétaire international, basés sur une élévation progressive des prix et d'importantes restrictions des dépenses étatiques, avaient provoqué de graves déséquilibres sociaux.
Ces déséquilibres sociaux apparaissent :
- dans les taux élevés de chômage (près de 25 %) ;

---

226 M. BERRIANE, *op. cit.*, p. 438.

- dans le niveau élevé de pauvreté (40 % de la population serait touchée) ;
- dans le degré d'analphabétisme (46 % de la population).

Au plan social, le Maroc apparaît donc comme une société bloquée, une véritable poudrière.

Le système politique semble lui aussi complètement verrouillé et incapable de proposer des solutions concrètes aux problèmes économiques et sociaux lancinants. La libéralisation des échanges et les récentes privatisations ne font qu'accentuer les clivages entre les élites et la grande masse de la population marocaine.

Ces différents verrous sont la base même de ce scénario de stagnation ; il est caractérisé par l'impossibilité de prendre de bonnes décisions et souvent par l'absence même de décision. Ce scénario peut être représenté par le schéma suivant :

FIGURE V
Un scénario de la stagnation : le présent amplifié

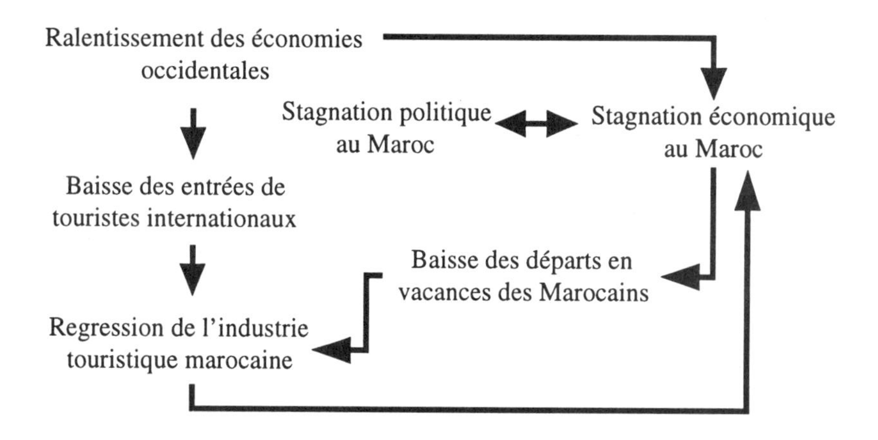

Les impacts de ce scénario sur l'industrie touristique seront très importants. Ils pourraient mener à une faiblesse généralisée de l'industrie face à la concurrence étrangère. On assisterait, parallèlement, à une baisse de la qualité des services et à une détérioration des équipements et des principaux lieux touristiques. Ils provoqueraient, à moyen terme, des blocages structurels en limitant fortement le tourisme intérieur et en réduisant étroitement les possibilités de développement.

23- Un scénario du dépérissement : la dérive islamique

Le quatrième scénario est celui de la catastrophe au plan touristique. Ce scénario repose sur l'hypothèse de changements internes importants dans la société marocaine (au plan politique, au plan social et au plan économique). Ces changements iraient dans le sens d'un retour aux sources, à une société islamique traditionnelle « rebâtie » en opposition à la modernité occidentale. Ce dernier schéma apparaît ci-dessous.

FIGURE VI
Un scénario du retour aux sources

Changements internes majeurs dans la société marocaine (politiques, sociaux et économiques)

↓

Islamisation accélérée de la société marocaine

↙ ↘

Réduction importante de la demande touristique internationale

Réduction très forte de la demande intérieure

↘ ↙

Attrition graduelle des attractions et des lieux touristiques (liées aux valeurs profanes-modernes)

↓

Dépérissement prolongé de l'industrie touristique marocaine

Ce scénario, qui peut sembler alarmiste, n'est pas totalement impossible si on considère le passé récent du Maroc et la situation politique en Algérie, en Iran et en Irak ; la tentation du retour aux sources est une constante dans les pays du Maghreb. Ce retour aux sources d'un islamisme pur et dur sonnera le glas du développement touristique au Maroc. Ce scénario semble très pessimiste mais le tourisme, comme industrie, repose sur des bases fragiles ; la confiance et la sécurité sont des exigences minimales pour son développement. Le tourisme comme industrie peut s'effondrer

rapidement, à ce sujet l'exemple récent de l'ex-Yougoslavie est assez éloquent.
La prise de pouvoir par un parti islamisant pourrait entraîner de profondes secousses à l'intérieur de la société marocaine. Aucun secteur de la société ne pourrait échapper à l'influence d'une idéologie globale décrétant que toutes les dimensions de la vie doivent relever de règles religieuses. Le tourisme, perçu comme le prototype d'une activité profane pourrait devenir la cible favorite du nouveau pouvoir.
Le rejet du tourisme exprimerait un refus total des valeurs postmodernes occidentales et un retour à un monde idyllique et protégé de la contamination extérieure. Une baisse très forte des clientèles internationales et intérieures provoquerait un déclin rapide de l'industrie touristique. Les attractions touristiques et les principaux lieux touristiques deviendraient des endroits désaffectés ou réutilisés à d'autres fins. C'est le scénario de la seule réappropriation possible de lieux touristiques et celui du refus exacerbé des influences extérieures.

24- Pour l'an 2000 : un avenir en pointillé

L'histoire nous montre que l'évolution des sociétés est rarement linéaire. Les changements politiques, économiques et sociaux sont monnaie courante. Plusieurs tendances, parfois contradictoires, cheminent concurremment dans un même système social ; aussi, dans certains cas, une tendance peut se substituer à une autre et transformer assez radicalement le système étudié. C'est dans cette perspective de « scénarios glissants » qu'il faut évaluer les différents scénarios qui sont proposés.
Le premier scénario est un scénario sans surprise, il reproduit une tendance lourde : il propose une croissance relativement équilibrée de l'évolution de l'industrie touristique au Maroc. Il s'agit, tout simplement, de prolonger le passé et le présent dans le futur ; c'est la continuité des choses. Le tourisme apparaît comme une priorité pour l'État et l'économie ; il y a une certaine forme de consensus entre les élites politiques et économiques marocaines et les entreprises touristiques internationales. L'accès à la modernité occidentale se fait par le haut sans que les autres classes sociales soient touchées.
Ce mouvement, décrit dans ce premier scénario, provoquera une forte pression sur l'espace urbain et les équipements touristiques. Les attractions touristiques urbaines seront fortement ritualisées afin d'être acceptées et désirées par les touristes occidentaux. Ce mouvement accentuera la ségrégation entre les lieux touristiques et les autres, entre les touristes étrangers et les Marocains.
Le deuxième scénario est plus élaboré : à l'évolution tendancielle de la demande internationale (en augmentation) s'ajoute un phénomène

récent : la demande touristique des nouvelles classes moyennes nationales. Cette tendance récente pourrait avoir des conséquences majeures sur l'évolution du tourisme au Maroc. Ces deux phénomènes conjugués provoqueront de très fortes pressions sur l'espace urbain et sur l'ensemble des équipements et des attractions touristiques. Un processus de rétroaction va amplifier cette situation en rendant le développement touristique pratiquement incontrôlable.

Le troisième scénario est celui de l'inertie et de la stagnation. Les crises successives des économies occidentales semblent de plus en plus profondes et de moins en moins maîtrisées, l'efficacité des politiques de régulation keynésiennes s'est lentement émoussée. Les sociétés font face à des déficits importants qui réduisent les possibilités de manoeuvre ; dans ce contexte, les pays en développement sont frappés de plein fouet.

Le ralentissement des économies occidentales, s'il se prolonge, peut provoquer, au Maroc, une stagnation de longue durée qui aura des effets économiques et sociaux très négatifs sur l'ensemble de la population du pays. Le phénomène récent des départs en vacances pourrait facilement se résorber en même temps que la croissance de la demande internationale. Les deux mouvements réunis pourraient briser les structures encore fragiles de l'industrie touristique marocaine.

Le quatrième scénario est aussi très pessimiste : il mise sur l'importance des traditions et le fatalisme religieux érigé en politique officielle de l'État ! Dans ce scénario, le tourisme apparaît comme une émanation de l'Occident, le poison de la modernité dans une société guidée par des valeurs immuables. C'est un scénario noir de l'évolution du tourisme au Maroc. La déliquescence du tourisme aurait une conséquence paradoxale : la mise en veilleuse et le délabrement des principales attractions touristiques ayant une valeur historique nationale.

Nous sommes face à quatre scénarios qui sont plausibles dans notre connaissance actuelle des choses. Le premier scénario suppose que la société marocaine ne changera jamais ou très peu ! Il est peu probable que le tourisme évolue de façon linéaire et que la société civile reste statique au plan des valeurs et des modèles sociaux. Ce scénario n'est donc pas le plus probable.

Le troisième scénario et surtout le quatrième scénario semblent exagérément catastrophiques. Les crises économiques ne durent pas éternellement, elles sont souvent le signe des changements vitaux et elles accouchent souvent de nouvelles structures plus efficaces et plus performantes. Dans ce domaine, « le pire n'est jamais certain » . Le troisième scénario peut se réaliser d'une certaine façon et pour un certain temps en provoquant une rupture accidentelle et momentanée des principales tendances.

Dans les circonstances actuelles, le quatrième scénario semble avoir peu de chance de se réaliser. La dynastie qui règne sur le Maroc paraît solide et contrôle encore étroitement les leviers de l'État. La baisse de prestige et le sous-développement chronique des États islamiques les plus fanatiques peuvent aussi servir de repoussoir face à une dérive potentielle.

Dans l'immédiat, compte tenu de l'évolution récente, à moyen terme et à long terme, le deuxième scénario paraît le plus probable et le plus plausible. Il réunit les tendances empiriques observées (croissance régulière de la demande internationale et consolidation de l'industrie touristique) et des tendances récentes de la société marocaine (les classes moyennes marocaines prenant le pari de la modernité, qu'implique le tourisme).

Malgré tout, il existe toujours une certaine probabilité de glissement de terrain - du remplacement soudain d'un scénario par un autre, le moins souhaitable et le plus noir. Si cette probabilité existe, elle est faible. Le scénario du développement touristique (le deuxième) n'est pas rose pour autant.

Les conséquences du scénario de la modernité, dont le tourisme n'est qu'un indicateur avancé, seront importantes pour l'ensemble de la société marocaine. Ce scénario suppose, pour une certaine période de temps, un développement touristique exacerbé porteur de tensions et de conflits où les valeurs et les modèles agressifs de la modernité occuperont toute la scène.

CONCLUSION: LE TOURISME DANS LE DÉVELOPPEMENT

Un des enseignements de la dernière décennie est que le développement ne découle pas d'un ensemble de recettes, d'un mélange d'idéologies et de techniques permettant une croissance indéfinie. Le développement apparaît, de plus en plus, comme un ensemble d'effets structurants découlant d'une compréhension globale des phénomènes qui interagissent dans une société donnée sans oublier la qualité de ses liens avec l'extérieur.

Il y a une dizaine d'années se posait directement la question: tourisme ou développement? Les deux termes semblaient contradictoires; le tourisme apparaissait comme le dernier cheval de Troie favorisant l'ultime soumission aux intérêts occidentaux. Dans les sociétés occidentales, le tourisme a connu une évolution très caractéristique: une activité de sentier réservée à une élite aristocratique et bourgeoise qui s'est rapidement « massifiée » pour toucher toutes les couches sociales.

Dans cette perspective générale, la demande touristique n'est plus un résidu de la consommation globale mais une forme de besoin intrinsèque à la société « postmoderne ». Le tourisme est perçu comme: « [...] la deuxième peau du monde générant de l'instable et du mobile partout, voyeur de la vie locale mais aussi acteur nécessaire, pollueur et protecteur, restaurateur et destructeur »[227]. Le tourisme devient pour les analystes des sociétés occidentales un phénomène incontournable qui est, selon Jean Viard, « [...] au milieu d'une transformation générale, un des éléments vivants de la mutation »[228]. Penser le tourisme en termes d'interdits et d'effets négatifs ne mène qu'à un cul-de-sac au plan théorique et méthodologique.

Plus qu'un simple phénomène de civilisation, le tourisme devient l'image même de la société postmoderne construite sur les valeurs de mobilité des personnes et des biens, de la communication sans limite et de la mondialisation des économies et des cultures. Pour les occidentaux, le tourisme est une activité qui va de soi, un phénomène de culture. Pour les pays du Sud, le tourisme est perçu comme un simple instrument économique devant rapporter des devises et favoriser l'équilibre de la balance des paiements.

L'ambiguïté fondamentale du tourisme repose sur ces visions antagonistes. Le tourisme est une activité polyvalente que l'on ne peut réduire à sa fonction économique. Le tourisme est porteur de valeurs globales et le réduire à des bilans comptables est une tenace illusion. Le tourisme doit donc être inséré dans une problématique

---

[227] Jean VIARD (1990), « L'ordre touristique », *Autrement*, Série mutations, no 111, Paris, janvier, p. 115.

[228] Jean VIARD (1984), *Penser les vacances*, Éditions Actes-Sud, Paris, p. 137.

plus large qui tienne compte de ses multiples ramifications; sa rentabilité économique doit être mesurée en fonction aussi de ses impacts sur la culture et l'environnement.
Au Maroc, la planification touristique s'est limitée aux seules dimensions économiques. La formation professionnelle n'est pas à la hauteur par rapport à l'importance du secteur hôtelier. Le manque d'animation se fait sentir dans toutes les régions touristiques. Il faut aussi souligner les insuffisances au plan de la promotion du tourisme intérieur et l'absence d'une véritable concertation entre les divers intervenants du secteur touristique.
Dans l'ensemble, au plan économique, la planification touristique a été très efficace au Maroc! Les divers plans depuis 1960 ont amené des résultats positifs pour la plupart des indicateurs étudiés. Pour les années récentes, la politique touristique sera marquée par des objectifs plus modestes, par le retrait de l'État qui cherche à réduire la taille du secteur public. La prochaine phase pourrait être une politique économico-sociale du tourisme donnant une plus grande place au tourisme intérieur et aux autres dimensions du tourisme (les loisirs touristiques en particulier).
Le Maroc, durant la période 1976-1990, a connu une croissance continue de son offre d'hébergement (un taux d'accroissement annuel moyen de près de 5 %). Un important complexe hôtelier a été érigé et l'ensemble de l'industrie hôtelière répond aux standards de qualité propres à l'hôtellerie internationale. Paradoxalement, les principales lacunes proviennent des disparités régionales et du manque d'hôtels bas de gamme (une, deux et trois étoiles). Ce complexe hôtelier demeure un atout important pour l'avenir.
Depuis 1960, le Maroc a connu une augmentation très forte des arrivées de touristes étrangers. Cette progression est assez remarquable; la croissance des arrivées est souvent le double de la croissance des arrivées mondiales. Pour les prochaines années, la croissance prévue des arrivées des touristes étrangers devrait être de 6,7 % par année, en moyenne. Ces données montrent la forte attraction qu'exerce le Maroc comme destination touristique. Une augmentation graduelle du tourisme intérieur apportera une contribution relativement importante à la demande globale d'ici à l'an 2000.
Toutes ces informations indiquent que le tourisme demeurera une industrie importante pour le Maroc dans le court terme et le moyen terme. En fonction de cette évolution probable, plusieurs scénarios de développement sont possibles. Le tourisme comme phénomène socio-économique est profondément inscrit dans la trame même de la société marocaine et de son économie; il vit en symbiose avec elles et il est difficile d'imaginer son avenir sans elles.
Tourisme ou développement ou bien tourisme dans le développement? La question restera longuement posée. Le tourisme n'est ni l'incarnation bigarrée du Mal absolu ni une panacée

économique; l'évolution du tourisme doit être replacée dans une plus juste perspective. De la même façon, à l'heure finale du bilan sur le développement touristique au Maroc, ce bilan n'est ni tout rose, ni tout noir! Sur certains plans, ce développement est une réussite quasi-totale (surtout si on le compare à celui de pays de la même région), sur d'autres plans il y a des lacunes; encore des obstacles importants à surmonter.
Ainsi, le tourisme lui-même évolue, de par le monde, entre les illusions durables et le développement durable, entre les certitudes protégées et les dures réalités d'un monde toujours en mouvement. Dans le fouillis d'un monde en devenir, l'échec n'est jamais certain et il faut toujours miser sur la capacité des sociétés à lutter contre un destin contraire.

LISTE DES TABLEAUX

LISTE DES FIGURES

LISTE DES GRAPHIQUES

BIBLIOGRAPHIE

Livres

AKESBI, Najib (1986); « Les codes d'investissement », *La Grande Encyclopédie du Maroc (économie et finance)*, sous la direction de Habib El Malki, Rabat, pp. 212-221.

AMIN, Samir (1970); *L'accumulation à l'échelle mondiale: critique de la théorie du sous-développement*, Institut français d'Afrique noire, Dakar.

AMIN, Samir (1971); *Le développement inégal*, Éditions de Minuit, Paris.

ARNAUD, Pascal (1988); *La dette du tiers monde*, Éditions La Découverte, Paris.

ASCHER, François (1984); *Tourisme - sociétés transnationales et identités culturelles*, UNESCO, Paris.

ASSIDON, Elsa (1992); *Les théories économiques du développement*, Éditions La Découverte, Paris.

AUVERS, Denis (1987); *L'économie mondiale*, Éditions La Découverte, Paris.

BRAILLARD, Phillipe et DJALILI, Mohammad-Reza (1984); *Tiers Monde et Relations Internationales*, Masson, Fribourg.

BRASSEUL, Jacques (1989); *Introduction à l'économie du développement*, Armand Colin, Paris.

BRUNEL, Sylvie *et al.* (1987); *Tiers Mondes: controverses et réalités*, Éditions Économica, Paris.

CAZES, Georges (1992); *Tourisme et Tiers-monde: un bilan controversé*, Éditions L'Harmattan, Paris.

CHENERY, Hollis B. *et al.* (1974); *Redistribution with Growth*, Oxford University Press, Oxford.

CHENERY, Hollis B. (1979); *Changement des structures et politique de développement*, Éditions Économica, Paris.

CHILCOTE, Ronald H. (1984); *Theories of Development and Under-Development*, Westview Press, Boulder.

COLLEY, Gérard (1967); *Possibilités et limites de l'action économique et financière des pouvoirs publics en matière de tourisme*, publication de l'AIEST, vol. 8, Éditions Gurten, Berne.

DE KADT, Emanuel (1980); *Tourisme, passeport pour le développement?*, publié pour la Banque Mondiale et l'UNESCO par les Éditions Économica, Paris.

DOUMOU, Abdelali et EL MALKI, Habib (1986); « La politique économique », *La Grande Encyclopédie du Maroc*, Rabat, pp. 154-163.

EL MALKI, Habib (1989); *Trente ans d'économie marocaine, 1960-1990*, Éditions du CNRS, Paris.

EL MALKI, Habib et SANTUCCI, Jean-Claude (1990); *État et développement dans le monde arabe*, Éditions du CNRS, Paris.

EMMANUEL, Arghiri (1969); *L'échange inégal. Essai sur les antagonismes dans les rapports économiques internationaux*, F. Maspéro, Paris.

GANNAGÉ, Elias A. et PERROUX, François (1962); *Économie du développement*, Presses Universitaires de France, Paris.

GAUTHIER, Yves (1989); *La crise mondiale: Du choc pétrolier à nos jours*, Éditions Complexe, Paris.

GUÉRIN, G. (1983); *Des séries chronologiques au système statistique canadien*, Gaétan Morin Éditeur, Montréal.

HAGEN, Everett Einar (1970); *Structures sociales et croissance économique*, Éditions Inter-Nationales, Paris.

HIRSCHMAN, Albert O. (1968); *Stratégie du développement économique*, Éditions Ouvrières, Paris.

LANFANT, Marie-Françoise (1978); « Le master plan touristique du Maroc », *Sociologie du tourisme: positions et perspectives dans la recherche internationale*, sous la direction de M.F. Lanfant *et al.*, Éditions du CNRS, Paris, pp. 57-74.

LEWIS, Arthur W. (1955); *The Theory of Economic Growth*, Irwin, Homewood, ill..

LEYMARIE, Serge et TRIPIER, Jean (1992); *Maroc: le prochain dragon? De nouvelles idées pour le développement*, Éditions Eddif, Casablanca.

LINDERT, Peter (1986); *Économie internationale*, Économica, Paris.

MACHLUP, Fritz (1967); *Essais de sémantique économique*, Éditions Calman-Levy, Paris.

MARCEL, Bruno et TAÏEB, Jacques (1992); *Crises d'hier, crises d'aujourd'hui 1873..., 1929..., 1973...*, Éditions Nathan, Paris.

NURKSE, Ragnar (1967); *Problems of Capital Formation in Underdeveloped Countries and Patterns of Trade and Development*, New York, Oxford University Press.

PEARCE, Douglas (1989); *Tourist Development*, Longman Scientific & Technical, Harlow.

PERROUX, François (1964); *L'économie du XXième siècle*, Presses Universitaires de France, Paris.

PREBISH, Raùl (1950); *The Economic Development of Latin America and its Principal Problems*, United Nations, New York.

RAINELLI, Michel (1988); *Le commerce international*, Éditions La Découverte, Paris.

REICH, Robert (1993); *L'économie mondialisée*, Dunod, Paris.

ROSENSTEIN-RODAN, Paul (1961); « Notes on the Theory of the Big Push », *Economic Development for Latin America*, H. S. Ellis et H. C. Wallich (dir.), St. Martin's Press, New York.

ROSTOW, Walt W. (1962); *Les étapes de la croissance économique. Un manifeste non communiste*, Éditions du Seuil, Paris.

ROUILLÉ D'ORFEUIL, Henri (1991); *Le tiers monde*, Éditions La Découverte, Paris.

SCHUMPETER, Joseph A. (1954); *Economic Doctrine and Method: an Historical Sketch*, G. Allen & Unwin, London.

TEULON, Frédéric (1993); *La nouvelle économie mondiale*, Presses Universitaires de France, Paris.

TODARO, Michael P. (1989); *Economic Development in the Third World*, Longman, New York.

VELLAS, François (1985); *Économie et politique du tourisme international*, Éditions Économica, Paris.

VIARD, Jean (1984); *Penser les vacances*, Éditions Actes-Sud, Paris.

WACKERMANN, Gabriel (1988); *Le tourisme international*, Armand Colin, Paris.

ZANTMAN, Alain (1990); *Le Tiers-Monde*, Hatier, Paris.

Articles

ALLALI, Badreddine (1981); « La place du tourisme dans les différents plans de développement marocain », *Gérer*, no 4, 1er trimestre, pp. 73-76.

BÉJOT, Jean-Pierre (1987); « Afrique Tourisme », *Marchés tropicaux*, 16 octobre, pp. 2654-2716.

BÉJOT, Jean-Pierre (1988); « Afrique Tourisme », *Marchés Tropicaux*, 30 septembre, pp. 2561-2606.

BODSON, Paul et STAFFORD, Jean (1987); « L'évolution des flux de touristes dans les grandes régions du monde », *Téoros*, vol. 6, no 3, Montréal, décembre, pp. 2-6.

BOUCHNAK, Abdelali (1981); « Le tourisme aux abois », *Al Asas*, no 29, mars, pp. 37-44.

BRITTON, Stephen G. (1982); « The Political Economy of Tourism in The Third World », *Annals of Tourism Research*, vol. 9, pp. 331-358.

BRUNET, Sylvie et LIPIETZ, Alain (1993); « Le développement égoïste », *Collection Dossiers*, no 14, Le Nouvel Observateur, Paris, pp. 84-91.

CAZES, Georges (1982); « Les avancées pionnières du tourisme international dans le tiers-monde », *Revue de l'académie internationale du tourisme*, nos 130-131, pp. 25-31.

CENTRE MAROCAIN DE CONJONCTURE (1991); « Performances de l'économie marocaine depuis 1986 », *Marchés tropicaux*, 18 octobre, pp. 2555-2569.

CHENERY, Hollis B. (1960); « Patterns of Industrial Growth », *American Economic Review*, vol. 50, September, pp. 624-654.

CHESNAUX, Jean (1993); « Dix questions sur la mondialisation », *Manière de voir*, no 18, Le Monde Diplomatique, Paris, mai, pp. 10-13.

CHOSSUDOVSKY, Michel (1993); « Les ruineux entêtements du Fond monétaire international », *Manière de voir*, no 18, Le Monde Diplomatique, Paris, mai, pp. 22-26.

DAOUD, Zakya (1990); « Privatisations à la marocaine », *Maghreb-Maghrek*, no 128, pp. 84-101.

DAVIS, H. David (1967); « Le développement du tourisme », *Finances et développement*, vol. 4, no 1, mars, pp. 1-10.

DAVIS, H. David et SIMMONS, James A. (1982); « World Bank Experience with Tourism Projects », *Tourism Management*, vol. 3, no 4, December, pp. 212-217.

DE BRETTEVILLE, Irène (1985); « Maroc-Tourisme: place au privé! », *Jeune Afrique Économie*, no 63, mai, pp. 44-46.

DE LA GORGE, Paul-Marie (1992); « Washington et la maîtrise du monde », *Manière de voir*, no 16, Le Monde Diplomatique, Paris, octobre, pp. 10-13.

DELMAS, Philippe et LORINO, Philippe (1993); « L'économie ingouvernable », *Le Nouvel Observateur*, Collection Dossiers, no 14, Paris, pp. 62-69.

DIAMOND, J. (1977); « Tourism's Role in Economic Development: The Case Reexamined », *Economic Development and Cultural Change*, vol. 25, no 3, April, pp. 539-553.

DOLLFUS, Olivier (1993); « La planète géofinancière », *Sciences-Humaines*, volume Hors-Série no 1, Paris, février, pp. 24-29.

DUNKEL, Arthur (1993); « Le rêve d'un système commercial universel », *Géopolitique*, no 41, Paris, printemps, pp. 5-9.

THE ECONOMIST INTELLIGENCE UNIT (E.I.U.) (1987); « Morocco », *International Tourism Reports*, no 132.

THE ECONOMIST INTELLIGENCE UNIT (E.I.U.) (1989); « Tourism and developing countries »,*Travel & Tourism Analyst*, no 6, pp. 76-87.

THE ECONOMIST INTELLIGENCE UNIT (E.I.U.) (1992); « Morocco », *International Tourism Reports*, no 3.

GROUSSARD, René (1993); « Les dangers d'un nomadisme économique mondial », *Géopolitique*, no 41, Paris, printemps, pp. 33-37.

HASSOUN, Souad; « Tourisme - note synthèse. Plans marocains 1965-1985 », notes non publiées, n.d..

HENRY, Paul-Marc (1993); « Le GATT: une morale commerciale sans obligations ni sanctions », *Géopolitique,* no 41, Paris, printemps, pp. 21-25.

HOFFMANN, Herbert (1971); « L'industrie Touristique: Une chance pour les pays en voie de développement », *Espaces*, vol. 5, juillet-septembre, pp. 51-53.

KASSÉ, Moustapha (1973); « La théorie du développement de l'industrie touristique dans les pays sous-développés », *Annales africaines*, pp. 53-72.

KRAPFT, Kurt (1962); *Les pays en voie de développement face au tourisme - introduction méthodologique*, Rapports présentés au 12ième congrès de l'AIEST (Athènes, 3-9 septembre 1961), vol. 3, Éditions Gurten, Berne, pp. 27-47.

KRAPF, Kurt (1964); « Tourisme et finances publiques »,*Tourisme et finances publiques*, Rapports présentés au 14ième Congrès de l'AIEST (Ischia et Amalfi (Italie), 9-14 octobre 1963), Éditions Gurten, Berne, pp. 17-35.

LANFANT, Marie-Françoise (1980); « Le tourisme dans le processus d'internationalisation », *R.I.S.S.*, vol. XXXIII, Unesco, pp. 14-45.

MORUCCI, Bernard (1991); « Analyse comparative de politiques touristiques dans les pays industrialisés et dans les pays en voie de développement », *Téoros*, collection Colloques et congrès, vol. 1, no 1, Les politiques touristiques, octobre, pp. 3-12.

NELSON, Richard (1956); « Theory of the Low-Level Equilibrium Trap in Underdeveloped Economies », *American Economic Review*, vol. 46, no 1, March, pp. 894-908.

PETRELLA, Riccardo (1992); « Plaidoyer pour un contrat mondial », *Manière de voir*, no 15, Le Monde Diplomatique, Paris, mai, pp. 35-39.

PETRELLA, Riccardo (1993); « Vers un "techno-apartheid" global », *Manière de voir*, no 18, Le Monde Diplomatique, Paris, mai, pp. 30-37.

SEBBAR, Hassan (1975); « Tourisme et développement: le cas du Maroc », *Bulletin économique et social du Maroc*, no 127, Rabat, pp. 65-84.

SEBBAR, Hassan (1982); « Incidence financière des codes des investissements au Maroc: le cas d'un hôtel », *Al Asas*, no 46, octobre/novembre, pp. 12-18.

SESSA, Alberto (1970); « L'apport économique du tourisme dans les pays en voie de développement », *Revue de tourisme*, vol. 23, no 3, pp. 93-100 et no 4, pp. 140-146.

SID AHMED, Abdelkader (1987); « Industrie touristique et développement: quelques enseignements », *Revue Tiers Monde*, t. XXVIII, no 110, avril-juin, pp. 395-406.

SINGER, Hans W. (1950); « The Redistribution of Gains Between Investing and Borrowing Countries », *American Economic Review. Papers and Proceedings*, vol. 40, May, pp. 473-785.

TIJANI, Khalid (1987); « La politique touristique du Maroc », *Espaces*, no 86, juin, pp. 21-24.

VAN HOVE, N. (1993); « Les tendances micro et macroéconomiques dans le tourisme européen », *Téoros-International*, Vol 1, no 1, Montréal, octobre, pp. 90-105.

VIARD, Jean (1990); « L'ordre touristique », *Autrement*, Série mutations, no 111, Paris, janvier, pp. 111-116.

WARDE, Ibrahim (1992); « Un système bancaire ébranlé par la déréglementation », *Manière de voir*, no 16, Le Monde Diplomatique, Paris, octobre, pp. 42-43.

« La fièvre de la privatisation », *Al Asas*, no 85, mai 1988, pp. 4-5.

« Sévère constat du ministre du Tourisme sur la situation de l'industrie hôtelière », *La vie touristique africaine*, no 438, 15 janvier 1992, pp. 6-13.

« Le tourisme », *Revue d'information BMCE*, février 1992, pp. 2-8.

« Le bilan touristique de l'année 1992 », *La vie touristique africaine*, no 465, 31 janvier 1993, p. 7.

« Économie: comprendre la crise », *Cahiers de l'Express*, no 18, Paris, 1993, pp. 4-106.

Thèses, mémoires et autres travaux universitaires

BÉLANGER, Charles-Étienne (1994); *L'État marocain et sa politique touristique: le rôle des déterminants externes et internes (1960-1990)*, mémoire, département de science politique, Université du Québec à Montréal.

BENNANI-SMIRES, Leyla (1978); *Tourisme et développement: le cas du Maroc*, Institut d'Études Politiques, Aix-en-Provence.

BERRIANE, Mohamed (1980); *L'espace touristique marocain*, C.N.R.S., Université de Tours.

BERRIANE, Mohamed (1992); *Tourisme national et migrations de loisirs au Maroc (étude géographique)*, Publications de la Faculté des lettres et des sciences humaines, Série thèses et mémoires no 16, Rabat.

EL-MACHRAFI, Siraj-Eddine (1983); *Le cas de la société hôtelière « Diafa » et le dilemme de la nationalisation-privatisation du secteur hôtelier au Maroc*, Module de gestion et intervention touristiques, Université du Québec à Montréal.

HILLALI, Mimoun (1985); *Le tourisme sur la côte méditerranéenne du Maroc. Potentiel et actions gouvernementales*, thèse, Institut d'aménagement régional, Université de droit, d'économie et des sciences d'Aix-Marseille.

KJELLSTROM, Sven Bertil (1974); *The Impact of Tourism on Economic Development in Morocco*, Thesis, The University of Michigan.

MRÉJEN, Nissim (1963); *L'Office national marocain du tourisme*, Collection de la Faculté des sciences juridiques, économiques et sociales, Université Mohammed V, publications du Centre universitaire de la recherche scientifique, Éditions La Porte, Rabat.

ROUX, Roland (1972); *Le tourisme dans la planification marocaine*, Faculté des sciences économiques, Aix-en-Provence.

SEBBAR, Hassan (1972); *Bilan d'une politique touristique. L'exemple du Maroc*, mémoire, Faculté des sciences juridiques, économiques et sociales, Université Mohammed V, Rabat.

SARRASIN, Bruno (1995); *Évolution des programmes d'ajustement structurel de 1984 à 1994: de la critique des coûts sociaux aux réponses de la Banque mondiale*, mémoire, Département de science politique, Université du Québec à Montréal.

Publications officielles

- Des organismes internationaux

BANQUE MONDIALE;
. *Rapport annuel 1970;*
. *Tourisme. Étude sectorielle*, 1972;
. *Rapport annuel 1973* ;
. *Discours prononcé devant le conseil des gouverneurs par Robert S. MacNamara, président du groupe de la Banque Mondiale*, Nairobi, Kenya, 24 septembre 1973;
. *Rapport annuel 1991.*

ERBES, Robert (1973); *Le tourisme international et l'économie des pays en voie de développement*, OCDE, Centre de développement, Paris.

INTERNATIONAL BANK FOR RECONSTRUCTION AND DEVELOPMENT (IBRD) (1966); *The Economic Development in Morocco*, John Hopkins Press, Baltimore.

INTERNATIONAL FINANCE CORPORATION (IFC);
. *Tourism's Role in Economic Development*, an address by James S. Raj, Vice-President-IFC, to the Council of the International Hotel Association, May 15, 1969, Dublin, Ireland
. *IFC in Africa*, 1971.

ORGANISATION DE COOPÉRATION ET DE DÉVELOPPEMENT ÉCONOMIQUE (OCDE);
. *Développement du tourisme et croissance économique*, Séminaire organisé dans le cadre du programme d'assistance technique de l'OCDE (Estoril (Portugal), 8-14 mai 1966;
. *Government Policy in the Development of Tourism*, Paris, 1974;
. *Pourquoi des politiques d'ajustement positives?*, Paris, 1979.

ORGANISATION MONDIALE DU TOURISME (OMT);
. *Le cadre de la responsabilité de l'État dans la gestion du tourisme*, Madrid, 1983;
. « Morocco », *Tourism Development Report - Policy Trends*, Madrid, 1988;
. *Tourisme à l'horizon 2000. Aspects qualitatifs influant sur sa croissance mondiale*, Madrid, 1991.
. *Annuaire des statistiques du tourisme - 1981 à 1990.*
. *Répartition régionale des statistiques du tourisme - 1976 à 1980.*

PACI, Enzo (1993); *Prévisions du tourisme mondial à l'horizon 2000 et au-delà*, Séminaire sur les tendances et défis du tourisme international tenu à Montréal les 27-28 mai 1993, OMT.
UNITED NATIONS (1963); *Recommandations on International Travel and Tourism*, United Nations Conference, Rome.

UNITED NATIONS CONFERENCE ON TRADE AND DEVELOPMENT (UNCTAD) (1973); *Elements of Tourism Policy in Developing Countries*, United Nations, New York.

WATERSON, Albert (1962); *Planning in Morocco*, The Economic Development Institute, International Bank for Reconstruction and Development, Johns Hopkins Press, Baltimore.

WORLD BANK;
. *Morocco. Economic and Social Development Report. A World Bank Study*, Washington, 1981;
. *World Development Report 1991: The Challenge of Development*, Oxford University Press, 1991.

- Du gouvernement et organismes marocains

COMMISSION DU TOURISME (1960); *Projet de rapport de la Commission de tourisme, plan quinquennal 1960-1964*, Rabat.

CRÉDIT IMMOBILIER ET HOTELIER (CIH);
. *Code des investissements touristiques*, 1988;
. *Décret royal du 17 décembre 1968 relatif au crédit foncier, au crédit à la construction et au crédit à l'hôtellerie*, 1991;
. *Rapports d'exercices de 1964 à 1989.*

DÉLÉGATION GÉNÉRALE À LA PROMOTION NATIONALE AU PLAN, Division de la coordination économique et du plan (1965); *Plan triennal 1965-1967*, Rabat.

HILLALI, Mimoun (1987); *Développement du tourisme méditerranéen en harmonie avec l'environnement. Le cas du Maroc*, ministère du Tourisme, Division des aménagements et équipements touristiques, Rabat.

INSTITUT FUR PLANUNGSKYBENETIK (IPK) (1975); Steigenberger Consulting GMBH, Maroc Développement; *Masterplan touristique du Maroc*, vol. 4, rapport de synthèse, Munich/Francfort.

MINISTÈRE DE L'ÉCONOMIE NATIONALE, Division de la coordination économique et du plan; « Le secteur des services - le développement du tourisme », *Plan quinquennal 1960-1964*, Rabat, n.d., pp. 289-295.

MINISTÈRE DE L'URBANISME, DE L'HABITAT, DU TOURISME ET DE L'ENVIRONNEMENT, Service des études;
. *Préparation du plan 1973-1977*, Rabat, n.d.;
. *Préparation du plan 1978-1982. Bilan prévisionnel d'exécution du plan quinquennal 1973-1977*, Rabat, 1977.

MINISTÈRE DES AFFAIRES ÉCONOMIQUES DU PLAN ET DE LA FORMATION DES CADRES, Division de la coordination économique et du plan; *Plan quinquennal 1968-1972*, vol. II: Tourisme, Rabat, n.d., pp. 183-218.

MINISTÈRE DES AFFAIRES ÉCONOMIQUES ET DE LA PRIVATISATION (1990); *Textes de loi et décrets autorisant le tranfert des entreprises publiques au secteur privé*, Rabat.

MINISTÈRE DU COMMERCE, DE L'INDUSTRIE ET DU TOURISME, Département du tourisme (1985); *Note sur la politique touristique au Maroc*, mai.

MINISTÈRE DU DÉVELOPPEMENT CHARGÉ DE LA PROMOTION NATIONALE ET DU PLAN (1966); *Préparation du plan de développement 1968-1972*, note d'orientation de la Commission de l'infrastructure et du tourisme, Rabat.

MINISTÈRE DU PLAN;
. *Plan d'orientation pour le développement économique et social 1988-1992*, Rabat, n.d.;
. *Le Maroc en chiffres.*

MINISTÈRE DU PLAN, DE LA FORMATION DES CADRES ET DE LA FORMATION PROFESSIONNELLE, Direction de la planification; *Plan de développement économique et social 1981-1985*, vol. II: Le développement sectoriel. Deuxième partie: Les secteurs productifs, « Le tourisme », Rabat, n.d., pp. 505-526.

MINISTÈRE DU TOURISME (1979); *Note sur le tourisme au Maroc*, Rabat.

MINISTÈRE DU TOURISME, Division des études;
. *Statistiques touristiques*;
. *Exécution du plan 1968-1972. Tranche 1969*, Rabat, n.d.;
. *Plan quinquennal 1978-1982*, rapport de synthèse de la Commission nationale du tourisme, Rabat, 1977;
. *Préparation du plan quinquennal 1988-1992. Bilan d'exécution du plan quinquennal 1981-1985*, Rabat, n.d.;
. *Rapport de synthèse de la Commission nationale du tourisme - Plan d'orientation 1988-1992*, Rabat, n.d., 1987;
. *Bilan d'activités touristiques, année 1986*, Rabat, 1987;
. *Plan d'orientation 1988-1992, chapitre tourisme. Bilan d'exécution physique et comptable, année 1988*, Rabat, 1989;
. *Le secteur touristique: bilan des activités, année 1989*, Rabat, 1990.

OFFICE NATIONAL MAROCAIN DU TOURISME (ONMT);
. « L'évolution du tourisme marocain », *Maroc Tourisme*, numéro spécial, Rabat, 1975;
. « Plan d'orientation 1988-1992 », *Maroc Tourisme*, Nouvelle série, no 1, Rabat, 1989.

SECRÉTARIAT D'ÉTAT AU PLAN, AU DÉVELOPPEMENT RÉGIONAL ET À LA FORMATION DES CADRES, Direction du plan et du développement régional;

. *Plan de développement économique et social 1973-1977*, vol. II: Le tourisme, Rabat, n.d., pp. 269-301;
. *Plan de développement économique et social 1978-1980*, vol. I et II: Le développement sectoriel, Rabat, n.d., pp. 181-194 et 540-560.

MÉTHODOLOGIE UTILISÉE

La meilleure façon d'analyser les flux touristiques est d'utiliser les indicateurs quantitatifs que sont les séries chronologiques. L'étude des séries temporelles permet de comprendre le passé et d'élaborer des hypothèses de développement dans le futur. La notion de tendance est un excellent outil pour l'analyse du développement touristique car elle s'inscrit dans la moyenne et la longue durée.
Dans l'analyse des tendances, on doit tenir compte de l'amplitude des variations et du rythme d'évolution de celles-ci. Pour calculer le taux de croissance d'une variable pour une période donnée, la formule s'exprime de la façon suivante:

Taux de croissance
annuel en pourcentage $= \frac{(n^{+1} - n^{0})}{n^{0}} \times 100 - 100$

où:

n^{0}: est la variable au début de la période choisie;

n^{+1}: est la variable à la fin de la période choisie.

Pour plus de précision, nous avons utilisé, dans le calcul du taux d'accroissement annuel moyen, la moyenne géométrique. La formule utilisée est à ce moment:

TAAM (moyenne géométrique) =

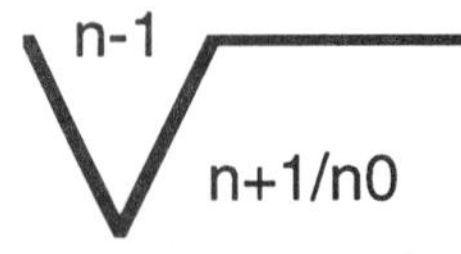

Pour comparer les fluctuations dans les différentes séries chronologiques, nous avons employé le coefficient de variation qui s'écrit:

$cv = \frac{o}{x}$

Un coefficient de variation élevé (par exemple près de 1) indique d'importants changements ou de très fortes fluctuations dans les séries observées.

Au plan théorique, les séries chronologiques correspondent au schéma suivant: ou Y = f (T C S I). Dans cette formule:

Y = variable à prévoir;
T = la tendance générale de la série obtenue généralement par une équation mathématique;
C = mouvement conjoncturel (cyclique);
S = mouvement saisonnier;
I = mouvement irrégulier (aléas).

Les valeurs prévues vont donc tenir compte des formes spécifiques que prennent chacun de ces mouvements dans le passé et dans le futur. Dans certains cas, l'estimation des phénomènes cycliques et aléatoires est très difficile et on doit en tenir compte dans l'interprétation des prévisions.
Les prévisions des tendances à moyen terme et à long terme (horizon 1995 et l'an 2000) sont calculées à partir d'équations mathématiques; à ce moment, les formules les plus utilisées sont:

1- la tendance linéaire:
   $Y = b_o + b_1 (t) + E$;
2- la tendance logarithmique (soit semi-log ou double log):
   $Y = b_o X^{bte} + E$ ou
   $L_n Y = b_o + b_1(t) + E$;
3- la tendance polynomiale:
   $Y = b_o + b_1(t) + b_2(t^2) + E$;
4- la tendance inverse:
   $Y = b_o + b_1/t + E$.

Ici:

Y = est la variable dépendante (entrées et nuitées de touristes);
b_o = est une constante du modèle;
b_1 = est un coefficient estimé par le modèle;
t = est le temps (la variable indépendante mois ou année);
L_n = est le logarithme naturel de base (e = 2.718);
E = est le terme d'erreur (aléatoire).

Pour l'évolution à court terme, nous utilisons la méthode STEPAR (Stepwise Autoregressive Method); cette approche associe deux processus: un processus sous forme de tendance (soit une constante, une tendance linéaire ou parabolique) et un processus autorégressif de forme: $Y = a + BY_{t-1} + aY_{t-2} \ldots E_1$. Le processus sous la forme de tendance capte le mouvement général de la série alors que le processus autorégressif intègre les fluctuations à court terme

(conjoncture et saisonnalité) et le terme E_1 les variations aléatoires. Le modèle s'appliquant à la série étudiée est sélectionné en même temps que l'estimation des coefficients à travers une procédure de régression de type Stepwise (pas à pas).
Nous avons aussi utilisé la méthode de prévision à court terme ARIMA (Auto Regressive Integrated Moving Average Models) développée par les statisticiens Box et Jenkins. La production des modèles se fait par des polynomes autorégressifs et plusieurs variantes de moyennes mobiles (ces dernières peuvent être pondérées ou non).
Les phénomènes saisonniers, cycliques et irréguliers ont été déterminés par la méthode X11. Cette méthode a été développée surtout par Julius Siskin du bureau de recensement des États-Unis dans les années 1960. Elle consiste, par les moyennes mobiles (et autres techniques statistiques), à extraire les différents mouvements des séries chronologiques et à leur donner une forme normalisée. On peut par la suite intégrer ces mouvements à nos projections.
La construction des indices cycliques s'est faite à partir de différentes formes de lissage:
- par des équations linéaires ou quadratiques (par années);
- par diverses moyennes mobiles (doubles ou triples).

Dans tous les cas, la formule utilisée est la suivante:

$$ICY = \left(\frac{yi}{Ypr} \times 100\right);$$

où:

ICY = indice cyclique;
yi = valeur observée;
Ypr = valeur prévue par une méthode quelconque.

La sélection des relations s'est préoccupée de minimiser l'autocorrélation résiduelle. Dans les relations retenues, le R^2 est toujours supérieur à .90, le test de Fisher et le t de Student sont toujours inférieurs à .10. Les projections ont été effectuées à l'aide du logiciel SAS sur l'ordinateur IBM-4381 de l'UQAM.
Les variables utilisées sont essentiellement les entrées de touristes étrangers et les nuitées dans les hôtels. Les sources de données sont:
- les annuaires des statistiques du tourisme de l'Organisation mondiale du tourisme (OMT);
- les statistiques du ministère du Tourisme, royaume du Maroc;
- les statistiques contenues dans les rapports annuels du Crédit immobilier et hôtelier (CIH), royaume du Maroc.

Cette panoplie de techniques servent à découper la réalité en différents mouvements afin de pouvoir identifier et analyser ces mouvements. Il s'agit d'un découpage théorique qui permet d'étudier l'évolution touristique et de comprendre son développement. La pression exercée par la demande touristique aura des effets sur les politiques et les territoires.

PRINCIPAUX SIGLES ET ABRÉVIATIONS

AID	Association internationale de développement.
BIRD	Banque internationale pour la reconstruction et le dévelopement.
BMCE	Banque marocaine du commerce extérieur.
BNDE	Banque nationale pour le développement économique.
CDG	Caisse de dépôt et de gestion.
CEE	Communauté économique européenne.
CEPAL	Commission économique pour l'Amérique latine.
CIH	Crédit immobilier et hôtelier.
CNUCED	Conférence des Nations unies sur le commerce et le développement.
CPIM	Caisse des prêts immobiliers du Maroc.
DH	Dirham.
DTS	Droits de tirage spéciaux.
FMI	Fonds monétaire international.
GATT	General Agreement on Tariffs and Trade.
ISI	Industrialisation par substitution aux importations.
OCDE	Organisation de coopération et de développement économique.
OMT	Organisation mondiale du tourisme.
ONCF	Office national des chemins de fer.
ONMT	Office national marocain du tourisme.
ONU	Organisation des Nations unies.
PAS	Programme d'ajustement structurel.
PIB	Produit intérieur brut.
PNB	Produit national brut.
PVD	Pays en voie de développement.
SFI	Société financière internationale.
SIDESTA	Société immobilière pour le développement touristique du Sahara.
SNABT	Société nationale d'aménagement de la baie de Tanger.
SOMADET	Société marocaine de développement touristique.
SONABA	Société nationale d'aménagement de la baie d'Agadir.
TAAM	Taux d'accroissement annuel moyen.
TME	Travailleurs marocains à l'étranger.
TPS	Taxe sur les produits et services.
TVA	Taxe sur la valeur ajoutée.
UIOOT	Union internationale des organismes officiels du tourisme.
UNESCO	Organisations des Nations unies pour la science, l'éducation et la culture.
ZAP	Zones à aménagement prioritaires.

• Cap-Saint-Ignace
• Sainte-Marie (Beauce)
Québec, Canada
1996